COMO SUPERAR SEUS

LIMITES INTERNOS

Steven Pressfield

COMO SUPERAR SEUS LIMITES INTERNOS

Aprenda a Vencer seus Bloqueios e suas
Batalhas Interiores de Criatividade

Prefácio à Edição Brasileira
Lúcia Helena Galvão

Tradução
Gilson César Cardoso de Sousa

Editora
Cultrix
SÃO PAULO

Título original: *The War of Art – Break Through the Blocks and Win Your Inner Creative Battles*.

1ª edição 2021. / 8ª reimpressão 2025.

Editor: Adilson Silva Ramachandra
Gerente editorial: Roseli de S. Ferraz
Preparação de originais: Adriane Gozzo
Gerente de produção editorial: Indiara Faria Kayo
Editoração Eletrônica: S2 Books
Revisão: Luciana Soares da Silva

Dados Internacionais de Catalogação na Publicação (CIP)
(Câmara Brasileira do Livro, SP, Brasil)

Pressfield, Steven
Como superar seus limites internos: aprenda a vencer seus bloqueios e suas batalhas interiores de criatividade / Steven Pressfield, Shawn Coyne ; tradução Gilson César Cardoso de Sousa; Prefácio à edição brasileira Lúcia Helena Galvão. - 1. ed. - São Paulo : Editora Pensamento Cultrix, 2021.

Título original: The war of art : break throughthe
blocks and win your inner creative battles
ISBN 978-65-5736-097-2

1. Autoajuda 2. Criatividade 3. Desenvolvimento pessoal 4. Felicidade 5. Procrastinação 6. Psicologia I. Coyne, Shawn. II. Galvão, Lúcia Helena. III. \Título.

21-59847 CDD-158

Índices para catálogo sistemático:
1. Autoajuda : Felicidade : Psicologia aplicada 158
Aline Graziele Benitez - Bibliotecária - CRB-1/3129

Direitos de tradução para a língua portuguesa adquiridos com exclusividade pela
EDITORA PENSAMENTO-CULTRIX LTDA., que se reserva a
propriedade literária desta tradução.
Rua Dr. Mário Vicente, 368 — 04270-000 — São Paulo, SP
Fone: (11) 2066-9000
http://www.editoracultrix.com.br
E-mail: atendimento@editoracultrix.com.br
Foi feito o depósito legal.

Para

BERNAY

SUMÁRIO

PREFÁCIO À EDIÇÃO BRASILEIRA

Steven Pressfield é um escritor norte-americano (embora nascido casualmente em Trinidad e Tobago) que passou toda a sua vida lutando para realizar o sonho de se tornar um escritor.

Não é necessário descrever as etapas bizarras e difíceis que teve de enfrentar na busca desse sonho, pois ele mesmo o faz com grande satisfação, ao longo das páginas desta obra, com episódios estrategicamente revelados no momento do desenvolvimento da argumentação do livro, no qual sua narrativa pessoal pode ter um peso de vivência e convencimento para mostrar que é possível praticar o que está sendo recomendado: "Eu vivi e funcionou!". Ele mesmo nos conta que certos episódios de nossa vida têm um quê de sagrado e não devem ser relatados, expostos à profanação, a menos que a revelação sirva de impulso e estímulo para que outros superem as próprias provas; e é exatamente o que ele faz aqui, deleitando-nos com passagens memoráveis de sua vida.

Pressfield, hoje com 77 anos de idade, pode demonstrar o sucesso de suas "fórmulas de vida" para a realização de seus sonhos por meio dos resultados alcançados, pois hoje ele é um escritor de ficção e não ficção (com quinze livros editados) e criador de quatro roteiros para Hollywood, além da adaptação de seu primeiro livro de sucesso, *The Legend of Bagger Vance* (ainda sem tradução para o nosso idioma), para o filme que recebeu o nome de *Lendas da Vida* em português, estrelado por Matt Damon e Will Smith e dirigido por Robert Redford.

Vale destacar que o livro citado, adaptado com muita felicidade para um filme belo e significativo, nada mais é do que uma transposição do clássico indiano *Bhagavad-Gita*, texto sagrado que vem conquistando a admiração de grandes nomes do Ocidente há séculos. O protagonista, o jogador de golfe Randolf Junu (Matt Damon), é *Arjuna*, o célebre herói do citado *Upanishad*; é o homem que, em campo de batalha, enfrenta a si próprio. O *caddy* que se oferece para ajudá-lo em seus treinos, *Bagger Vance* (Will Smith), é *Bhagavan* (Deus, Senhor, Venerável), ou seja, o próprio Krishna, oitavo avatar do deus Vishnu e uma das divindades mais veneradas do hinduísmo. Enfim, o jogo de golfe em questão, assim como a guerra no épico original, trata da vitória sobre si mesmo, da realização, da visão da Unidade e da subsequente conquista da sabedoria.

Essa mesma "guerra interior" que ele representa em uma ficção literária é descrita de forma explícita e detalhada em *Como Superar seus Limites Internos* (*The War of Art*, no original em inglês). O próprio autor nos relata, nos primeiros capítulos da presente obra, que recebeu duras críticas quando manifestou o desejo de escrever algo desse tipo, sendo tachado de "arrogante" ao querer oferecer sabedoria de vida, e que seria melhor fazê-lo por meio de mais um romance. Porém, ao acessarmos atualmente *sites* de comentários sobre filmes e digitarmos o nome do mencionado *Lendas da Vida*, raramente encontraremos comentários que indiquem que a mensagem simbólica que o filme contém foi entendida, sequer em uma pequena parte; eu, em particular, em minhas pesquisas a respeito, não encontrei nenhum comentário dessa natureza.

Não posso deixar de me lembrar de Platão, em seu diálogo *A República*, quando ensina que, em sua cidade ideal, os contadores de histórias como Homero não seriam permitidos, pois os homens comuns não sabem entender os mitos e tomariam seus símbolos ao pé da letra, o que causaria grande prejuízo moral a todos. Sim, o público que comenta *Lendas da Vida* parece ter assistido a mais um entediante e banal romance ambientado em esportes, fabricado às pressas pela "máquina de entretenimento" hollywoodiana. Que bom, sr. Pressfield, que não emprestou ouvidos às "vozes da resistência" que o aconselhavam a não escrever *Como Superar seus Limites Internos*!

Observando a lista de livros escritos por nosso autor, veremos que há uma grande predominância de ficções com base histórica ligadas a algum tipo de guerra e, em vários casos, tendo como pano de fundo a Antiguidade clássica. Para aqueles que admiram uma ficção histórica bem escrita, segundo meu critério, será escassa a lista dos escritores do gênero que, além de um embasamento histórico preciso, são capazes de colocar o leitor dentro daquele determinado painel de forma tão eficiente quanto Steven Pressfield, e uma explicação, que não esgota a questão, mas se aproxima de uma boa resposta, é que o homem que ali nos escreve já não é o escritor norte-americano, mas um espartano, um ateniense ou um cidadão de seja lá que época histórica for. Nosso autor, pelo amor que dedica ao tema, é capaz de um nível de identificação tal, que faz ver aquele painel histórico como um protagonista dos fatos, e não a partir de vinte ou ainda mais séculos depois.

E não se trata de uma identificação momentânea, como a de um bom ator; em uma das entrevistas que fiz com Pressfield, no ano 2020 (para os interessados, constam ambas em youtube/novaacropole), ele me dizia que "não é um homem deste tempo" e, de fato, não o é. Ele é o homem que considera a vida, toda a vida de todos os seres humanos, um épico, travado todos os dias, e percebe que muitos vão à batalha de olhos vendados e, depois, queixam-se permanentemente de suas derrotas, como se estas se devessem a algum fator externo.

Já advirto ao leitor que, neste livro, contrariamente ao que sugere o título, ele não encontrará uma espécie de "manual de boa *performance* para artistas" ou algo que o valha, pois nosso autor, comprovadamente um amante de símbolos, não trata de um artista *stricto sensu*, mas da ampla e onipresente arte de viver. Não se trata de apoiar-nos em uma criação específica, embora o conteúdo da obra também se adapte a isso, mas sobretudo da arte de nos criarmos como seres humanos realizados e plenos e, graças à nossa atuação no mundo, podermos nos ver como alguém que se converteu em fator de soma para o propósito da Vida como um todo, sem ter vivido em vão e estando, enfim, em paz, quite com os céus e a terra. Não duvide de que é isso que você encontrará neste livro; se alguma dúvida persistir ao longo da leitura da primeira e segunda partes, a terceira, "Além da Resistência: O Reino Superior", fulminará todas as hesitações, definitivamente.

Então, prepare-se para a guerra: o inimigo, mestre em máscaras e em recrutar aliados, além de conhecedor de psicologia profunda, chama-se "A Resistência". O financiador dela é seu próprio medo, sobretudo o chamado "medo de crescer", com todas as mudanças e os compromissos que esse crescimento possa exigir. Ou seja: em última instância, o grande inimigo foi contratado por você mesmo, mas não se apoie nisso para achar que, no último momento, ele lhe será misericordioso. É uma força da natureza invocada inconscientemente por você mesmo, cujo objetivo é lutar até a morte.

Esse inimigo se apresentará sempre? Não. Apenas quando aquilo que você pretende realizar o faz subir um degrau na escalada necessária rumo ao seu crescimento como ser humano. Para aquelas "iniciativas" que o paralisam ou o fazem até descer um degrau rumo ao egoísmo, à estagnação e à alienação, a resistência, como diz o autor, "carimba seu passaporte".

E mais: como a maioria da humanidade está limitada ao próprio crescimento, presa fácil das próprias resistências, seu crescimento incomodará, e você vai começar a ser criticado e "boicotado": são os aliados da Resistência. Além das inúmeras vozes internas, como desculpas e pretextos às vezes terrivelmente convincentes, você ainda terá de lidar com essa tropa de apoio externa. Por isso, diz nosso autor que o "artista", ou seja, o protagonista dessa saga, é um voluntário para o inferno.

Mas nem tudo é tão obscuro: nosso autor nos dá orientações de deslocamento de nossas tropas em campo de batalha que são preciosas, por exemplo, o conselho de sempre ter como objetivo não a vitória, mas conseguir controlar-se com firmeza e determinação: garantir cada dia; não dramatizar; saber que, amanhã de manhã, tudo recomeçará; e aprender a amar essa saga, que traz à tona, a cada dia, nossos melhores potenciais.

Pressfield nos ensina a diferença entre profissionais e amadores e a necessidade de sermos profissionais para termos alguma chance diante de um inimigo desse porte. Toma exemplos de nossa conduta na vida profissional e os transfere para toda a nossa vida. Toma conselhos com Carl Jung, com Somerset Maughan e até com os fuzileiros navais norte-americanos; enfim, o autor nos ensina a usar artilharia pesada, e usá-la todos os dias, pontualmente, com perseverança e responsabilidade.

E aí, vem a delícia da terceira parte: "Além da Resistência: O Reino Superior", na qual relaxamos, enfim (mas nem tanto!), ao saber que não temos só inimigos, mas também aliados poderosos nesta guerra: há que ter mérito para que eles confiem em nós e se aproximem, e há que aprender a ouvir as vozes deles.

Nessa parte, os autores e as personalidades espirituais citados vão de Homero a Krishna, mas as observações feitas por Pressfield não são baseadas em nenhum tipo de doutrina ou crença, e sim em sua própria e rica experiência de vida. Ressalto que sua vida não é repleta de fatos fantásticos, mas dessas experiências simples que todos nós vivenciamos, que se tornam especiais graças a um detalhe: ele sabe ver e ouvir, ele sabe guardá-las e crescer com elas. Em uma manifestação de humildade genuína e com a maior naturalidade possível, ele nos fala de suas experiências como trabalhador em plataformas de petróleo, como motorista de reboques de trator e outras peripécias, e de quanto foi reunindo de aprendizado em cada um desses episódios. Uma vida movimentada, mas comum, aliada a um segredo complexo: ele sabe ler os recados que a vida lhe manda, e o presente livro é uma esforçada e brilhante tentativa de alfabetizar a outros nessa mesma arte.

Por fim, para não me adiantar às belas surpresas que o livro traz, como um daqueles presentes que ganhamos em algum momento da vida e que "carimbam" o tempo com algo que parece estar além dele, Steven Pressfield conclui a obra com uma série de frases que golpeiam nossa resistência de maneira tão certeira como só um renomado e profissional lutador de boxe o faria. Uma delas eu gostaria de presentear aos leitores como uma preciosa lembrança que guardo desta ocasião especial, denominada "O dia em que li *Como Superar seus Limites Internos*". Ela tem sempre sido levada por mim como uma arma eficaz que pertence à sentinela avançada de minha própria guerra interior, e espero que possa ser de grande valor também para vocês. Desejo a todos uma boa leitura!

> "– Ceder à resistência envergonha Aqueles que o criaram com o único objetivo de empurrar a raça humana um milímetro para a frente, em seu longo caminho de retorno a Deus."
>
> – Lúcia Helena Galvão, verão de 2021

INTRODUÇÃO

Steven Pressfield escreveu o livro *Como Superar seus Limites Internos* para mim. Deve tê-lo escrito para você também, mas sei que o escreveu expressamente para mim, porque mantenho recordes olímpicos de procrastinação. Posso procrastinar até a reflexão do meu problema de procrastinação. Posso procrastinar o enfrentamento do meu problema de procrastinação pensando nele. Assim, Pressfield, esse homem destemido, me pediu para escrever a introdução *com prazo*, sabendo que, não importava quanto eu adiasse, precisaria finalmente pôr mãos à obra e fazer meu trabalho. E fiz, na última hora. Lendo a Primeira Parte, "Resistência: Definindo o Inimigo", sentia-me culpado a cada página. Mas então a Segunda Parte me sugeriu um plano de batalha. A Terceira Parte, uma visão de vitória. E, quando terminei *Como Superar seus Limites Internos*, senti os eflúvios de uma calma positiva. Agora sei que posso vencer essa guerra. E, se eu posso, você também pode.

No início da Primeira Parte, Pressfield identifica o inimigo da criatividade, a Resistência, seu termo abrangente para o que Freud chamou de "impulso de morte" – força destrutiva da natureza humana que eclode quando consideramos um curso de ação, difícil e a longo prazo, capaz de fazer por nós e pelos outros algo realmente bom. Ele então apresenta um leque das muitas manifestações destrutivas da Resistência. Você reconhecerá todas, pois essa força está em todos nós – autossabotagem, autoengano, autocorrupção. Nós, escritores, conhecemos isso como "bloqueio", paralisia cujos sintomas podem alimentar um péssimo comportamento.

Há alguns anos, eu estava bloqueado como a rede de esgoto de Calcutá. O que fiz, então? Decidi provar todas as minhas roupas. Apenas para mostrar a que ponto posso ser obsessivo, vesti cada camisa, calça, blusa, jaqueta e meias conforme a estação: primavera, verão, outono, inverno, Exército da Salvação. Depois, provei tudo de novo, agora as classificando como primavera casual, primavera formal, verão casual... Passados dois dias, pensei que fosse ficar louco. Quer saber como se cura um bloqueio de escritor? Não com uma visita ao psicanalista. Pois, como bem observa Pressfield, procurar "ajuda" é Resistência no aspecto mais sedutor. Não, a cura está Na Segunda Parte, "Combata a Resistência: Torne-se Profissional".

Steven Pressfield é o profissional em pessoa. Sei disso porque nem me lembro de quantas vezes convidei o autor de *The Legend of Bagger Vance* para uma partida de golfe, e ele, embora tentado, recusou. Por quê? Porque estava trabalhando, e, como qualquer escritor que já deu uma tacada sabe, o golfe é uma forma maravilhosamente virulenta de procrastinação. Em suma, Resistência. A disciplina de Steve é forjada como o aço de Bethlehem.

Li seus livros *Gates of Fire* e *Tides of War* do início ao fim enquanto viajava pela Europa. Não sou um cara chorão; não chorava lendo um livro desde *The Red Pony*, mas esses romances me tocaram. Sentado em cafés, tentava conter as lágrimas diante da coragem desinteressada daqueles gregos que moldaram e salvaram a civilização ocidental. Vendo além de sua prosa fluida e sentindo a profundidade de sua pesquisa, de seu conhecimento da natureza e da sociedade humanas, de seus detalhes vividamente concebidos, fiquei impressionado com o trabalho exigido, o trabalho que lançou as bases de suas fascinantes criações. E não sou o único a pensar assim. Quando comprei os livros em Londres, disseram-me que os romances de Steve são agora recomendados pelos professores de História, em Oxford, aos seus alunos: se quiserem entender a vida na Grécia clássica, leiam Pressfield.

Como pode um artista adquirir tanto poder? No segundo livro, Pressfield elabora dia a dia, passo a passo, a campanha do profissional: preparação, ordem, paciência, firmeza, ação em face ao medo e ao fracasso – sem desculpas, sem conversa fiada. E o melhor de tudo: a concepção brilhante de que o profissional se concentra, em primeiro lugar, em último lugar e sempre, no domínio da técnica.

A Terceira Parte, "Além da Resistência: O Reino Superior", aborda a Inspiração, esse resultado sublime que floresce nos sulcos do profissional que empunha o arado e lavra o campo de sua arte. Nas palavras de Pressfield: "Quando nos sentamos todos os dias e fazemos nosso trabalho, o poder se concentra à nossa volta... tornamo-nos um ímã que atrai limalha de ferro. As ideias surgem. As percepções se multiplicam". Quanto ao *efeito* da Inspiração, Steve e eu concordamos plenamente. De fato, imagens e ideias impressionantes aparecem como do nada. Esses vislumbres aparentemente espontâneos são tão assombrosos que é difícil acreditar que pessoas medíocres como nós os criaram. Então, de onde vem nosso melhor material?

É nesse ponto, a *causa* da Inspiração, que vemos as coisas de modo diferente. Na Primeira Parte, Steve atribui aos genes as raízes evolucionárias da Resistência. Concordo. A causa é genética. Essa força negativa, esse negro antagonismo à criatividade, está profundamente implantada em nossa humanidade. Porém, na Terceira Parte, ele muda de rumo e vê a causa da Inspiração não na natureza humana, mas em uma "esfera superior". Em seguida, arrebatado por um ímpeto poético, declara sua crença em musas e anjos. A principal fonte da criatividade, diz ele, é divina. Muitos leitores, talvez a maioria, acharão a Terceira Parte profundamente emocionante.

Para mim, entretanto, a fonte do impulso criativo está no mesmo plano de realidade que a Resistência. Esse impulso também é genético e se chama talento: o poder inato de descobrir a conexão profunda entre imagens, ideias e palavras que ninguém mais viu, associando-as e criando-as para o mundo como obra final, única. Assim como nosso QI, o talento é um dom de nossos ancestrais. Se tivermos sorte, o herdaremos. Nos poucos felizardos que o têm, a dimensão escura de suas naturezas começará por resistir ao esforço que a criatividade exige; mas, iniciada a tarefa, seu lado talentoso aceitará a ação e os recompensará com realizações de peso. Esses lampejos de gênio criativo parecem vir do nada por uma razão óbvia: brotam da mente inconsciente. Ou seja, se a Musa existe, não sussurra aos ouvidos dos talentosos.

Portanto, embora Steve e eu não concordemos quanto à causa, concordamos quanto ao efeito: a inspiração, encontrando o talento, dá origem à verdade e à beleza. E, quando Steven Pressfield estava escrevendo *Como Superar seus Limites Internos*, ela pairava sobre ele.

– Robert McKee

O QUE FAÇO

Levanto-me, tomo um banho, degusto o café da manhã. Leio o jornal, escovo os dentes. Se tenho que dar alguns telefonemas, o faço. Acabei de tomar o café. Calço minhas botas de trabalho, que dão sorte, e amarro os cadarços, que também dão sorte, que me foram presenteados por minha sobrinha Meredith. Vou para o escritório, ligo o computador. Meu agasalho da sorte, com capuz, está no encosto da cadeira, com o amuleto da sorte que comprei de uma cigana em Saintes-Maries-de-la-Mer pelo equivalente a oito dólares em francos e meu crachá da sorte LARGO, fruto de um sonho que tive. Visto-o. Sobre o dicionário, está o pequeno canhão da sorte que meu amigo Bob Versandi trouxe de Morro Castle, Cuba. Aponto-o para minha cadeira, de modo que possa disparar inspiração contra mim. Recito minha prece, que é a Invocação da Musa na *Odisseia* de Homero, traduzida por T. E. Lawrence, o Lawrence da Arábia, presente de meu querido colega Paul Rink, que fica na estante com as abotoaduras herdadas de meu pai e com a bolota da sorte colhida no campo de batalha das Termópilas. São mais ou menos dez e meia. Sento-me e mergulho no trabalho. Quando os erros de digitação começam a aparecer, sei que estou cansado. Foram quatro horas, por aí. Cheguei ao ponto em que a coisa não flui mais. É hora de parar. Copio o que fiz em um *pen drive* e guardo-o no porta-luvas do carro, para o caso de me ocorrer alguma coisa e eu precisar dele. Desligo-me. São três horas, três e meia. O escritório está fechado. Quantas páginas produzi? Nem quero saber. Ficaram boas? Nem penso nisso. O importante é que empreguei bem meu tempo e fiz o que planejara fazer. Só conta o fato de, neste dia, nesta sessão, eu ter superado a Resistência.

O QUE SEI

Há um segredo que os verdadeiros escritores conhecem e os pretensos escritores ignoram. Escrever não é difícil. Difícil é sentar-se para escrever.

O que nos impede de sentar é a Resistência.

A VIDA NÃO VIVIDA

A maioria de nós tem duas vidas. A que vivemos e a que permanece dentro de nós não vivida. Entre as duas, interpõe-se a Resistência.

Você já comprou uma esteira e a deixou de lado, esquecida, empoeirando? Já desistiu de uma dieta, de um curso de yoga, de uma sessão de meditação? Já ignorou o apelo íntimo para se dedicar a uma prática espiritual, prestar serviços humanitários, servir ao próximo? Já quis ser mãe, médico ou advogado para ajudar os fracos e oprimidos, concorrer a um cargo, empreender uma cruzada em prol do planeta, lutar pela paz mundial ou preservar o meio ambiente? Tarde da noite, já teve uma visão da pessoa que poderia ser, do trabalho que precisaria realizar, da pessoa bem-sucedida que deveria se tornar? Você é um escritor que não escreve, um pintor que não pinta, um empreendedor que não empreende? Então sabe muito bem o que é Resistência.

Uma noite, deitado,

Ouvi papai conversando com mamãe.

Papai disse: "Deixe o garoto se virar,

Pois o que está dentro dele tem que sair".

– John Lee Hooker, *Boogie Chillen*

A Resistência é a força mais tóxica do planeta. Causa mais infelicidade que a pobreza, a doença, a disfunção erétil. Ceder à Resistência deforma o espírito. Ela nos paralisa, faz de nós menos do que somos e do que nascemos para ser. Se você acredita em Deus (eu acredito), deve considerar a Resistência um mal, pois ela nos impede de concretizar a vida que Deus tinha em mente quando deu a cada um de nós um *genius* especial. *Genius* é uma palavra latina que os romanos usavam para designar um espírito interior, sagrado e inviolável que vela por nós e nos estimula em nossa vocação. O escritor escreve com seu *genius*; o artista pinta com o dele; toda pessoa que cria age com base nesse centro sacramental. É a sede de nossa alma, o vaso que contém nosso ser potencial, nosso farol e nossa estrela-guia.

Todo sol lança uma sombra, e a sombra do *genius* é a Resistência. Quanto mais nossa alma pretende realizar, mais as forças da Resistência se insurgem contra nós. A Resistência é mais rápida que um projétil, mais poderosa que uma locomotiva, mais difícil de largar que a cocaína. Não somos os únicos a tombar diante dela; milhões de bons homens e mulheres já tombaram antes de nós. E o pior de tudo: nem mesmo sabemos o que os atingiu. Eu não sabia. Dos 24 aos 32 anos, a Resistência me chutou o traseiro da Costa Leste à Costa Oeste, e vice-versa, por trinta vezes... e eu ignorava que ela existisse. Olhava em volta em busca do inimigo e não o via, embora ele estivesse bem à minha frente.

Você já deve ter ouvido essa história: a mulher é informada de que tem câncer e seis meses de vida. Poucos dias depois, deixa o emprego, volta a escrever as canções mexicanas que deixara de lado para cuidar da família (ou começa a estudar grego clássico, ou muda-se para o centro da cidade, para cuidar de crianças com aids). Os amigos pensam que a mulher enlouqueceu, mas ela própria nunca se sentiu tão feliz. Há um pós-escrito: seu câncer entrou em remissão.

Mas tem de ser assim? Precisamos encarar a morte para levantar a cabeça e enfrentar a Resistência? A Resistência precisa paralisar e desfigurar nossa vida antes de descobrirmos que ela existe? Quantos de nós não nos tornamos alcoólatras e viciados em drogas, desenvolvemos tumores e neuroses, sucumbimos aos analgésicos, à fofoca e ao uso compulsivo do celular por não fazer o que nosso coração, nosso *genius* interior quer que façamos? Se amanhã de manhã, por um passe de mágica, toda alma desorientada e obtusa acordasse com o poder de dar o primeiro passo em direção aos seus sonhos, as salas de espera dos psicanalistas ficariam vazias. Não haveria mais ninguém nas prisões. A indústria tabagista e a do álcool desapareceriam com os alimentos industrializados, as cirurgias plásticas e o infoentretenimento, para não mencionar as empresas farmacêuticas, os hospitais e a profissão médica. A violência doméstica extinguiria-se, tanto quanto o vício, a obesidade, a enxaqueca, as brigas de trânsito e a caspa.

Ouça seu coração. A menos que eu esteja enganado, neste exato momento, uma voz baixinha e suave está sussurrando para você, como fizera milhares de vezes, explicando-lhe qual é a sua, e só a sua, vocação. Você sabe qual é. Ninguém precisa lhe dizer. E, corrija-me se eu estiver errado, você não se encontra mais perto de entrar em ação hoje do que se encontrava ontem ou se encontrará amanhã. Você acha que a Resistência não é real? Ela o enterrará.

Como se sabe, Hitler queria ser artista. Aos 18 anos, pegou sua herança, setecentas coroas austríacas, e mudou-se para Viena, para estudar. Tentou se inscrever na Academia de Belas-Artes e depois na Faculdade de Arquitetura. Você já viu algum quadro dele? Eu, não. A Resistência o derrubou. Talvez seja exagero, mas vou dizer assim mesmo: para Hitler, foi mais fácil começar a Segunda Guerra Mundial que encarar uma tela em branco.

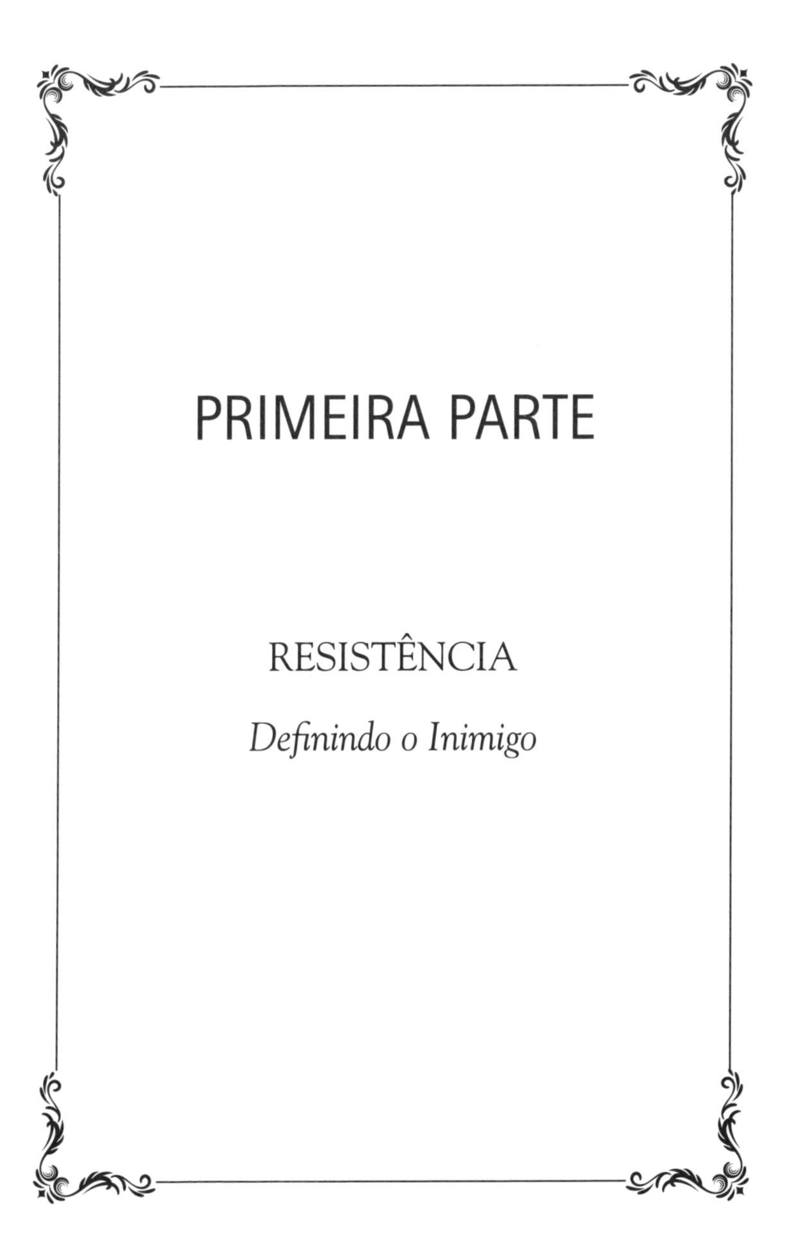

PRIMEIRA PARTE

RESISTÊNCIA

Definindo o Inimigo

“O inimigo é um excelente professor.”

– Dalai Lama

OS PONTOS ALTOS DA RESISTÊNCIA

Segue uma lista, em sequência aleatória, das atividades que mais comumente provocam Resistência:

1) Dedicar-se à escrita, à pintura, à música, ao cinema, à dança ou a qualquer outra arte criativa, embora marginal ou pouco convencional.
2) Lançar um empreendimento ou uma empresa, com ou sem fins lucrativos.
3) Qualquer dieta ou regime de saúde.
4) Qualquer programa de evolução espiritual.
5) Qualquer atividade cujo objetivo seja uma barriga sarada.
6) Qualquer curso ou programa para superar um mau hábito ou vício.
7) Educação de qualquer tipo.
8) Qualquer ato de coragem política, moral ou ética, incluindo a decisão de mudar para melhor um padrão

prejudicial de pensamento ou de conduta em nós mesmos.

9) Lançar um empreendimento cujo objetivo é ajudar o próximo.
10) Qualquer atividade que exija a participação emocional: a decisão de se casar, de ter filhos, de superar problemas de relacionamento.
11) Enfrentar a adversidade.

Em suma, qualquer ato que anteponha o crescimento a longo prazo, a saúde ou a integridade à gratificação imediata. Ou, em outras palavras, qualquer ato que derive de nossa natureza superior, e não inferior. Todas essas atividades provocam a Resistência.

Mas quais são as características da Resistência?

A RESISTÊNCIA É INVISÍVEL

A Resistência não pode ser vista, tocada, ouvida ou cheirada. Pode, no entanto, ser sentida. Nós a experimentamos como um campo energético que se irradia de um trabalho potencial. É uma força de repulsão. Negativa. Seu objetivo é nos afastar, nos distrair, nos impedir de fazer nosso trabalho.

A RESISTÊNCIA É INTERNA

A Resistência parece vir de fora de nós. Costumamos localizá-la em esposas, empregos, chefes, crianças. "Oponentes periféricos", como Pat Riley gostava de dizer quando treinava os Los Angeles Lakers.

A Resistência não é um oponente periférico. Vem de dentro de nós. É autogerada e autoperpetuada. A Resistência é o inimigo interno.

A RESISTÊNCIA É TRAIÇOEIRA

A Resistência vai fazer de tudo para impedir que você realize seu trabalho. Vai jurar em falso, inventar, disfarçar, falsificar, seduzir, intimidar, bajular. A Resistência é multiforme. Pode assumir qualquer forma para enganá-lo. Pode argumentar com você como um advogado ou apontar uma pistola para seu rosto como um assaltante. Ela não tem consciência. Faz de tudo para entrar em um acordo e, mal você vira as costas, engana-o. Se acreditar nela, terá o que merece. A Resistência está sempre mentindo, sempre traindo.

A RESISTÊNCIA É IMPLACÁVEL

A Resistência é como o Alien, o Exterminador ou o Tubarão. Não se pode raciocinar com ela. A Resistência só entende o poder. É uma máquina de destruição, programada de fábrica, com uma única finalidade: impedir-nos de trabalhar. A Resistência é implacável, intratável, incansável. Reduza-a a uma única célula, e essa célula continuará a atacar.

Tal é a natureza da Resistência. E nada mais.

A RESISTÊNCIA É IMPESSOAL

A Resistência não tem nada pessoal contra você. Não sabe quem você é e não quer saber. É uma força da natureza, que age objetivamente.

Embora pareça maldosa, a Resistência, na realidade, opera com a indiferença da chuva e transita pelo céu seguindo as mesmas leis das estrelas. Devemos nos lembrar disso quando concentramos nossas forças para combatê-la.

A RESISTÊNCIA É INFALÍVEL

Como uma agulha magnética boiando em uma superfície, a Resistência apontará infalivelmente para o Norte verdadeiro, ou seja, para a vocação ou a ação que mais deseja nos impedir de concretizar.

Podemos usar essa bússola e navegar seguindo a Resistência, deixando-a nos levar para essa ação ou vocação, que devemos privilegiar acima de todas as outras.

Regra de ouro: quanto mais importante para a evolução de nossa alma for a vocação ou a ação, mais Resistência encontraremos para concretizá-las.

A RESISTÊNCIA É UNIVERSAL

É um erro supor que somos os únicos a lutar contra a Resistência. Quem tem corpo enfrenta Resistência.

A RESISTÊNCIA NUNCA DORME

Henry Fonda sempre vomitava antes de entrar em cena, mesmo aos 75 anos. Em outras palavras, o medo nunca vai embora. O guerreiro e o artista obedecem ao mesmo código exigente, segundo o qual a batalha deve ser travada de novo todos os dias.

A RESISTÊNCIA JOGA PARA GANHAR

O objetivo da Resistência não é ferir ou incapacitar. O que ela quer é matar. Seu alvo é o epicentro de nosso ser: nosso *genius*, nossa alma, o único e inapreciável dom que apenas nós possuímos e o qual estamos na Terra para compartilhar. Resistência é negócio. A guerra que empreendemos contra ela é de vida ou morte.

A RESISTÊNCIA É ALIMENTADA PELO MEDO

A Resistência não tem força própria. A que ela usa vem de nós. Nós a alimentamos com poder porque a tememos.

Domine esse medo e vencerá a Resistência.

A RESISTÊNCIA SÓ ATUA EM UMA DIREÇÃO

A Resistência obstrui o movimento de baixo para cima. Aparece quando seguimos nossa vocação nas artes, lançamos uma empresa inovadora ou passamos moral, ética ou espiritualmente para um nível superior.

Por exemplo, se você está em Calcutá trabalhando na Fundação Madre Teresa e pensa em iniciar uma carreira em *telemarketing*... relaxe. A Resistência lhe dará passe livre.

A RESISTÊNCIA É MAIS FORTE NA LINHA DE CHEGADA

Odisseu quase voltou para casa antes do retorno final. Ítaca estava à vista, tão perto que os marinheiros viam a fumaça das chaminés das casas na costa. Odisseu sentia-se tão tranquilo que chegou a tirar uma soneca. Foi então que seus homens, achando que havia ouro em um saco de couro entre os pertences do comandante, surrupiaram o saco e rasgaram-no. O recipiente continha os Ventos contrários, que o rei Éolo acondicionara e entregara a Odisseu quando o viajante desembarcou em sua ilha abençoada. Os ventos escaparam num ímpeto furioso, empurrando os barcos de Odisseu de volta por cada légua de oceano que tinham arduamente atravessado, obrigando-o a passar por novas provações e a sofrer, antes de, agora sozinho, voltar em definitivo para casa.

O perigo é maior quando a linha de chegada está próxima. Nesse ponto, a Resistência percebe que vamos derrotá-la. Entra em pânico. Prepara um último assalto e nos golpeia com tudo.

O profissional deve estar alerta para esse contra-ataque. Estar cauteloso no final. Não abra o saco dos ventos.

A RESISTÊNCIA RECRUTA ALIADOS

Por definição, Resistência é autossabotagem. Mas há um perigo paralelo do qual precisamos também nos defender: a sabotagem dos outros.

Quando um escritor começa a superar sua Resistência – isto é, quando realmente começa a escrever –, pode notar que as pessoas à sua volta passam a se comportar de maneira estranha. Ficam mal-humoradas ou taciturnas e até doentes; acusam o novo escritor de "ter mudado", "não ser a mesma pessoa de antes". Quanto mais próximas essas pessoas forem do novo escritor, mais esquisitamente vão agir e mais emoção vão colocar em seus atos.

Estão tentando sabotar o escritor.

O motivo é que, consciente ou inconscientemente, tentam enfrentar a própria Resistência. O sucesso do novo escritor faz com que se julguem recriminadas. Se o escritor pode escorraçar seus demônios, por que elas não podem?

Muitas vezes, casais, amigos íntimos ou famílias inteiras fazem um pacto tácito, em que cada indivíduo promete (inconscientemente) permanecer atolado no mesmo lamaçal em que ele e todos os camaradas se sentem confortáveis. A maior traição que um siri pode cometer é saltar para a borda do balde.

O novo artista tem de ser duro consigo mesmo e com os outros. Depois de atravessar a cerca, você não pode se virar para ajudar o amigo que ficou com a perna da calça presa no arame farpado. O melhor que pode fazer por ele (e ele próprio lhe pediria isso, se fosse realmente seu amigo) é continuar andando.

A melhor e única coisa que um artista pode fazer por outro é servir-lhe de exemplo e inspiração.

Vamos examinar agora o próximo aspecto da Resistência: sintomas.

RESISTÊNCIA E PROCRASTINAÇÃO

A procrastinação é a forma mais comum de Resistência porque é a mais fácil de racionalizar. Não pensamos: "Jamais vou compor minha sinfonia". Pensamos: "Vou compor minha sinfonia. Mas começarei amanhã".

RESISTÊNCIA E PROCRASTINAÇÃO: SEGUNDA PARTE

O aspecto mais pernicioso da procrastinação é que ela pode se tornar um hábito. Não adiamos nossa vida apenas hoje; nós a adiamos até a hora da morte.

Nunca se esqueça: agora mesmo, podemos mudar nossa vida. Nunca há um momento, e nunca haverá, em que não tenhamos o poder de mudar nosso destino. Nesse mesmo instante, podemos virar a mesa da Resistência.

Nesse mesmo instante, podemos nos sentar e começar nosso trabalho.

RESISTÊNCIA E SEXO

Às vezes, a Resistência assume a forma de sexo ou de uma preocupação obsessiva com ele. Por que sexo? Porque proporciona gratificação imediata e poderosa. Quando alguém dorme conosco, sentimo-nos valorizados e aprovados, ou até mesmo amados. A Resistência se aproveita disso ao máximo. Sabe que nos distrai com um recurso barato e fácil, mantendo-nos longe de nosso trabalho.

Sem dúvida, nem todo sexo é manifestação de Resistência. Sabemos se é ou não pelo grau de vazio que sentimos depois. Quanto mais vazios nos sentimos, mais certos podemos estar de que nossa verdadeira motivação não foi o amor nem a atração, mas a Resistência.

Nem é preciso dizer que esse princípio se aplica às drogas, às compras, à masturbação, à TV, às fofocas, ao álcool e ao consumo de produtos que contêm gordura, açúcar, sal ou chocolate.

RESISTÊNCIA E PROBLEMAS

Arranjamos problemas porque essa é uma maneira rápida de chamar a atenção. O problema não passa de imitação barata da fama. É mais fácil ser apanhado na cama com a esposa do diretor da faculdade que fazer uma tese sobre a metafísica da heterogeneidade nos romances de Joseph Conrad.

A má saúde é uma forma de problema, como são o alcoolismo, o vício em drogas, a propensão a acidentes e todas as neuroses, incluindo o sexo compulsivo, e fraquezas aparentemente benignas, como ter ciúme, atrasar-se cronicamente e tocar *rap* a 110 decibéis no rádio do seu carro possante, conversível. Tudo que chama a atenção sobre nós por meio de recursos artificiais e indolores é manifestação de Resistência.

A crueldade com os outros também é uma forma de Resistência, do mesmo modo que desejar ser alvo da crueldade alheia.

O artista dedicado não tolera problemas na vida porque sabe que estes o impedem de trabalhar. Ele bane de seu mundo todas as fontes de problemas. Aproveita a vontade de criar problemas e a transforma em trabalho.

RESISTÊNCIA E AUTODRAMATIZAÇÃO

Fazer da vida uma novela é sintoma de Resistência. Por que se dedicar, durante anos, ao desenho de uma nova interface de *software* quando você pode chamar a mesma atenção levando para casa um namorado com extensa ficha policial?

Às vezes, famílias inteiras participam inconscientemente de uma cultura de autodramatização. As crianças arrumam o palco, os adultos instalam os holofotes e todos passam de um episódio trepidante a outro. A equipe sabe como manter a coisa funcionando. Se o drama começa a enfraquecer, alguém corre para estimulá-lo. Papai fica bêbado, mamãe cai doente, Janie vai à igreja com uma tatuagem. É mais divertido que um filme. E funciona: ninguém faz nada.

Às vezes, penso na Resistência como a irmã gêmea maldosa do Papai Noel, que vai de casa em casa ver se está tudo sob controle. Quando encontra uma família entregue à autodramatização, suas faces coradas brilham, e ela parte com suas oito renas pequeninas. Sabe que não se fará nenhum trabalho naquela casa.

RESISTÊNCIA E AUTOMEDICAÇÃO

Você ingere regularmente substâncias, controladas ou não, cujo objetivo é o alívio da depressão, da ansiedade etc.? Vou lhe contar uma história:

Trabalhei como redator em uma grande agência de publicidade de Nova York. Nosso chefe costumava dizer: "Inventem uma doença e nós venderemos a cura".

Transtorno de Déficit de Atenção, Distúrbio Emocional Periódico, Transtorno de Ansiedade Social. Essas não são doenças, são jogadas de *marketing*. Não são os médicos que as descobrem, mas, sim, os publicitários, os departamentos de *marketing* e as empresas farmacêuticas.

A depressão e a ansiedade podem ser reais. Todavia, também podem ser Resistência.

Quando nos drogamos para não ouvirmos o chamado de nossa alma, estamos nos comportando como bons cidadãos e consumidores exemplares. Estamos fazendo exatamente o que os comerciais de TV e a cultura *pop* materialista vêm colocando em nossa cabeça desde o nascimento. Em vez de recorrer ao autoconhecimento, à autodisciplina, ao trabalho duro e ao adiamento da gratificação, simplesmente consumimos um produto.

Muitos pedestres foram atropelados e mortos na esquina da Resistência com o Comércio.

RESISTÊNCIA E VITIMIZAÇÃO

Médicos estimam que de setenta a oitenta por cento de seu negócio não têm nada a ver com saúde. As pessoas não estão doentes, estão autodramatizando. Às vezes, a parte mais difícil da profissão médica é conseguir manter a impassibilidade. Como Jerry Seinfeld observou após vinte anos de namoro: "Há muita interpretação fascinante".

Adquirir determinada condição dá significado à existência da pessoa. Uma doença, uma cruz a carregar... Há quem passe de condição a condição; cura-se de uma e logo outra aparece. A condição torna-se uma obra de arte em si mesma, uma sombra do verdadeiro ato criativo que a vítima está evitando ao cultivá-la com zelo.

O papel de vítima é uma espécie de agressão passiva. A pessoa busca gratificação não por meio de trabalho honesto ou de contribuição baseada na experiência, na criatividade ou no amor, mas pela manipulação dos outros reforçada por ameaças tácitas (ou não tão tácitas assim). A vítima obriga os outros a socorrê-la ou a agir do modo que ela deseja, mantendo-os reféns de sua própria perspectiva de futura doença/colapso/dissolução mental ou apenas ameaçando tornar sua vida tão miserável que eles acabam fazendo o que ela quer.

Vitimizar-se é o contrário de trabalhar. Não entre nessa. Se entrou, saia.

RESISTÊNCIA E ESCOLHA DE PARCEIRO

Muitas vezes, quando não nos damos conta de nossa própria Resistência, escolhemos como parceiro alguém que a superou ou está superando. Não sei por que isso acontece. Talvez seja mais fácil atribuir ao nosso parceiro o poder que, na realidade, possuímos, mas temos medo de usar. Talvez seja menos ameaçador acreditar que nosso amado cônjuge seja digno de viver sua vida não vivida, e nós, não. Ou, quem sabe, talvez queiramos fazer de nosso parceiro um modelo. Pode ser também que acreditemos (ou façamos força para acreditar) que parte do poder de nosso cônjuge passará para nós se ficarmos tempo suficiente com ele.

É assim que a Resistência desfigura o amor. O prato que ela cria é suculento, colorido. Tennessee Williams poderia colocá-lo em uma trilogia. Mas é amor? Se somos o parceiro secundário, devemos encarar nossa própria incapacidade de viver em vez de pegar carona na vida do outro? E, se somos o parceiro dominante, devemos renunciar ao brilho da adoração da criatura amada em vez de encorajá-la a irradiar a própria luz?

RESISTÊNCIA E ESTE LIVRO

Quando comecei a escrever este livro, a Resistência quase me venceu. Eis a forma que ela tomou. Disse-me (a voz em minha cabeça) que eu era um autor de ficção, não de não ficção, e não deveria expor os conceitos de Resistência literal e abertamente; deveria, sim, incorporá-los como metáforas em um romance. Argumento dos mais sutis e convincentes. A racionalização que a Resistência me apresentou era a de que seria melhor eu escrever, por exemplo, uma obra em que os princípios da Resistência apareceriam como o medo que o guerreiro sente.

A Resistência aconselhou-me também a não procurar me instruir nem me apresentar como um poço de sabedoria. Afirmou que isso era pura vaidade, egoísmo e talvez até corrupção, podendo, no fim, me prejudicar. Fiquei assustado. Sim, aquilo fazia sentido.

O que finalmente me convenceu a prosseguir foi que, se não prosseguisse, me sentiria infeliz. Estava apresentando sintomas. Tão logo me sentei e comecei, tudo melhorou.

RESISTÊNCIA E INFELICIDADE

O que é Resistência?

Primeiro, infelicidade. Sentimo-nos péssimos. A desgraça mais cabal invade tudo. Ficamos entediados, inquietos. Nada nos satisfaz. Há culpa, mas não sabemos de onde vem. Queremos voltar para a cama; queremos nos levantar e ir para a farra. Parece que ninguém nos ama e não somos dignos de ser amados. Vem o desgosto. Odiamos nossa vida. Odiamos a nós mesmos.

Se não for combatida, a Resistência sobe a níveis intoleráveis. E, nessa altura, os vícios tomam conta. Drogas, adultério, internet.

Depois, a Resistência assume caráter clínico. Depressão, agressão, disfunção. E, por fim, crime e autodestruição física.

Parece vida, eu sei. Mas não é. É Resistência.

O que torna esse processo traiçoeiro é o fato de vivermos em uma cultura de consumo que conhece a fundo essa infelicidade e concentra toda sua artilharia ávida de lucros para explorá-la. Para nos vender um produto, uma droga, uma distração. John Lennon escreveu certa vez:

Bem, vocês pensam que são espertos,

Não pertencentes a nenhuma classe social e livres,

Mas não passam de uns pobres camponeses,

Pelo que sei.

Como artistas e profissionais, é nosso dever encenar nossa própria revolução interna, uma insurreição privada em nossa cabeça. Graças a esse motim, livramo-nos da tirania da cultura de consumo. Depomos a programação da publicidade, de filmes, de videogames, de revistas, da TV e da MTV, pela qual fomos hipnotizados desde o berço. Desligamo-nos de tudo isso, reconhecendo que jamais nos curaremos se continuarmos financiando com nosso dinheirinho o balanço da Porcaria S/A, em vez de fazermos nosso trabalho.

RESISTÊNCIA E FUNDAMENTALISMO

O artista e o fundamentalista enfrentam o mesmo problema: o mistério da existência como indivíduos. Cada qual faz as mesmas perguntas: "Quem sou eu?", "Por que estou aqui?", "Qual é o significado da minha vida?".

Nas etapas mais primitivas da evolução, a humanidade não precisava lidar com essas perguntas. Nos períodos da vida selvagem, da barbárie, da cultura nômade, da sociedade medieval, da tribo e do clã, tudo estava fixado pelos mandamentos comunitários. Foi somente com o advento da modernidade (a começar pelos gregos antigos), quando nasceram a liberdade e o indivíduo, que esses assuntos vieram à tona.

Essas não são perguntas fáceis de responder. Quem sou eu? Por que estou aqui? E não são fáceis porque os seres humanos não foram feitos para funcionar como indivíduos. Foram feitos para funcionar como tribo, como parte de um grupo. Nossa psique foi programada, por milhões de anos de evolução, com base nos caçadores-coletores. Sabemos o que é o clã; sabemos como integrar a horda e a tribo. Só não sabemos como ficar sozinhos. Não sabemos ser indivíduos livres.

O artista e o fundamentalista surgem de sociedades em diferentes etapas de desenvolvimento. O artista é o modelo avançado. Sua cultura possui afluência, estabilidade, excedente de recursos que possibilitam o conforto e a autorreflexão. O artista está enraizado na liberdade, que não lhe inspira medo. Tem sorte. Nasceu no lugar certo. Possui núcleo de autoconfiança, de esperança no futuro. Acredita no progresso e na evolução. Acha que a humanidade está avançando, apesar dos percalços e das imperfeições, para um mundo melhor.

O fundamentalista não cultiva essas ideias. A seu ver, a humanidade decaiu de uma condição superior. Não há verdade à espera de revelação; ela já foi revelada. A palavra de Deus foi dita e registrada por Seu profeta – Jesus, Maomé ou Karl Marx.

O fundamentalismo é a filosofia dos impotentes, dos vencidos, dos deslocados, dos despossuídos. Nasce das consequências da derrota política e militar, como o fundamentalismo judaico tomou forma durante o Cativeiro de Babilônia, como o fundamentalismo branco cristão se espalhou pelo Sul dos Estados Unidos durante a Reconstrução, como a ideia de raça superior evoluiu na Alemanha após a Primeira Guerra Mundial. Nesses tempos de desespero, a raça vencida perecerá sem uma doutrina que restaure a esperança e o orgulho. O fundamentalismo islâmico brota da mesma paisagem de desespero e tem o mesmo apelo poderoso, extraordinário.

O que é, exatamente, esse desespero? O desespero da liberdade. O deslocamento e a emasculação do indivíduo desligado das estruturas conhecidas e tranquilizadoras da tribo e do clã, da aldeia e da família.

É a situação da vida moderna.

O fundamentalista (ou, mais precisamente, o indivíduo pressionado que acaba abraçando o fundamentalismo) não suporta a liberdade. Não consegue abrir caminho para o futuro e recua para o passado. Revive, na imaginação, os dias gloriosos de sua raça e tenta, com eles, banhar-se em uma luz mais pura, mais virtuosa. Desce aos alicerces. Aos fundamentos.

Fundamentalismo e arte são mutuamente exclusivos. Não existe algo como arte fundamentalista. Isso não quer dizer que o fundamentalista não seja criativo. Sucede apenas que sua arte é invertida. Ele cria a destruição. Até as estruturas que constrói, suas escolas e redes de organização são dedicadas ao aniquilamento tanto dos inimigos quanto de si mesmo.

Entretanto, o fundamentalista reserva sua maior criatividade para a construção de Satã, a imagem do adversário, em oposição à qual define a própria vida, dando-lhe sentido. Como o artista, o fundamentalista enfrenta a Resistência. Encara-a como tentação para pecar. Para ele, a Resistência é o apelo do Maligno, que procura afastá-lo da virtude. O fundamentalista vive consumido por Satã, a quem ama como ama a morte. Será coincidência que os terroristas suicidas do World Trade Center frequentassem clubes de *striptease* durante seu treinamento ou que imaginassem como recompensa um exército de virgens a quem poderiam violar nas bem-aventuranças do céu? O fundamentalista odeia e teme as mulheres porque as vê como receptáculos de Satã, como tentadoras à semelhança de Dalila, que despojou Sansão de sua força.

Para ignorar o apelo do pecado, isto é, da Resistência, o fundamentalista mergulha na ação ou no estudo de textos sagrados. Neles se perde, mais ou menos como o artista no processo de criação. A diferença é que, enquanto um olha para a frente, desejando criar um mundo melhor, o outro olha para trás, procurando voltar a um mundo mais puro, do qual ele e todos os homens foram expulsos.

O humanista acredita que a humanidade, como conjunto de indivíduos, foi chamada a criar o mundo em parceria com Deus, por isso valoriza muito a vida humana. Em sua visão, tudo progride, a vida evolui; cada indivíduo tem seu papel, ao menos potencialmente, na promoção dessa causa. O fundamentalista não consegue entender essas coisas. Em sua sociedade, a dissensão não é apenas um crime, é também uma apostasia; é heresia, transgressão contra o próprio Deus.

Quando o fundamentalismo vence, o mundo entra numa Idade das Trevas. Mas, ainda assim, não consigo condenar quem é atraído por essa filosofia. Examinando minha própria jornada interior, as vantagens que tive nas áreas de educação, afluência, apoio familiar e saúde, além da boa sorte incontestável de nascer nos Estados Unidos, vejo que, mesmo assim, aprendi a existir como indivíduo autônomo – se é que aprendi, apenas por um triz e a um custo que odiaria ter de pagar.

Pode bem ser que a raça humana não esteja pronta para a liberdade. A atmosfera da liberdade talvez seja rarefeita demais para que consigamos respirar. Com toda certeza, eu não estaria escrevendo este livro, sobre este assunto, se viver em liberdade fosse algo fácil. O paradoxo parece ser, como Sócrates demonstrou há muito tempo, que o indivíduo verdadeiramente livre só o é na medida do próprio autogoverno. Já os que não se governam, estão condenados a encontrar um senhor para governá-los.

RESISTÊNCIA E CRÍTICA

Se você critica outras pessoas, provavelmente o faz por causa da Resistência. Quando vemos uma pessoa começando a viver seu eu autêntico, ficamos malucos por não termos vivido o nosso.

Quem se realizou na própria vida quase nunca critica os outros. Quando fala, é para encorajar. Preste atenção a si mesmo. De todas as manifestações da Resistência, a maioria só prejudica a nós próprios. A crítica e a crueldade prejudicam também os outros.

RESISTÊNCIA E INSEGURANÇA

A insegurança pode ser uma aliada, pois serve como indicador da aspiração. Reflete amor, amor por algo que sonhamos fazer e vontade de fazê-lo. Se você pergunta a si mesmo (e aos amigos) "Sou realmente um escritor?", "Sou realmente um artista?", então é muito provável que seja.

O falso inovador é tremendamente autoconfiante. O verdadeiro é medroso.

RESISTÊNCIA E MEDO

O medo paralisa você? Bom sinal.

O medo é coisa boa. Como a insegurança, é um indicador. O medo nos ensina o que fazer.

Lembre-se de nossa regra de ouro: quanto mais medo sentimos de um trabalho ou apelo, mais certos podemos estar de que precisamos fazê-lo ou ouvi-lo.

A Resistência é sentida como medo; o grau do medo dá a medida da força da Resistência. Portanto, quanto mais medo sentirmos de iniciar um empreendimento, mais certeza poderemos ter de que esse empreendimento é importante para nós e para o progresso de nossa alma. Se não acharmos nele nenhum significado, é porque não há Resistência.

Você já viu *Inside the Actors Studio*? O anfitrião do *talk show*, James Lipton, invariavelmente pergunta aos convidados: "Que motivo leva você a escolher um papel?". E a resposta do ator é sempre a mesma: "O medo que tenho dele".

O profissional encara o projeto que vai fazê-lo progredir. Assume o compromisso que vai levá-lo a águas desconhecidas, obrigá-lo a explorar partes de si mesmo das quais ele próprio não tem consciência.

Ele fica apavorado? Por Deus, fica petrificado!

(Ao contrário, o profissional recusa papéis que já desempenhou antes. Não tem mais medo deles. Então, para que perder tempo?)

Portanto, se você se sente paralisado pelo medo, bom sinal. O medo vai lhe mostrar o que precisa fazer.

RESISTÊNCIA E AMOR

A Resistência é diretamente proporcional ao amor. Se você está enfrentando forte Resistência, a boa notícia é que há aí também um amor imenso. Se você não amar o projeto que o aterroriza, não sentirá nada. O contrário de amor não é ódio; é indiferença.

Quanto mais Resistência você experimentar, mais importante será para você sua arte, seu projeto ou seu empreendimento não manifestados – e mais gratificado se sentirá quando eles se manifestarem.

RESISTÊNCIA E ESTRELATO

Fantasias grandiosas são sintoma de Resistência. A marca do amador. O profissional aprendeu que tanto o sucesso quanto a felicidade são subproduto do trabalho. O profissional se concentra no trabalho e deixa que as recompensas venham (ou não, pouco importa).

RESISTÊNCIA E ISOLAMENTO

Às vezes, evitamos iniciar um empreendimento porque temos medo de ficar sós. Sentimo-nos confortáveis com a tribo à nossa volta; ir sozinhos para a floresta nos deixa nervosos.

Uma dica: nunca estamos sozinhos. Tão logo nos afastamos do brilho da fogueira do acampamento, a Musa se acende em nosso ombro como um vaga-lume. O ato de coragem mobiliza, infalivelmente, aquela parte mais profunda de nós mesmos que nos ajuda e ampara.

Você já viu alguma entrevista com os jovens John Lennon ou Bob Dylan, quando o repórter tentava lhes perguntar sobre o eu pessoal? Os rapazes evitavam essas intrusões com o maior sarcasmo. Por quê? Porque Lennon e Dylan sabiam que a parte deles empenhada nas canções não era "Lennon", não era "Dylan", não era o eu pessoal que tanto fascinava os entrevistadores cabeça-dura. Lennon e Dylan sabiam que a parte deles dedicada à composição era muito sagrada, muito preciosa, muito frágil para ser colocada em *bites* sonoros, a fim de excitar os pretensos idólatras (também eles apanhados nas malhas da própria Resistência). Assim, ignoravam-nos.

É lugar-comum dizer que artistas e crianças, quando brincam, perdem a noção de tempo e solidão para perseguir suas visões. As horas voam. O escultor e o garoto que sobe na árvore se espantam quando mamãe chama: “Hora do almoço!”.

RESISTÊNCIA E ISOLAMENTO: SEGUNDA PARTE

Às vezes, os amigos me perguntam: "Você não se sente sozinho sentado aí o dia inteiro?". A princípio, achava estranho me ouvir respondendo: "Não". Depois, constatei que não ficava sozinho; entrava no livro, convivia com os personagens. Ficava com meu eu.

Não me sinto sozinho com meus personagens; ao contrário, eles me parecem mais vivos e interessantes que as pessoas reais. Se você refletir bem sobre isso, verá que não poderia ser diferente. Para que um livro, um projeto ou um empreendimento prendam nossa atenção pelo tempo necessário à sua feitura, têm de se conectar com alguma perplexidade ou paixão interna da máxima importância para nós. Esse problema se torna o tema do trabalho, mesmo que não possamos, a princípio, entendê-lo ou articulá-lo. Cada personagem, à medida que surge, encarna infalivelmente um aspecto desse dilema, dessa perplexidade. Os personagens talvez não sejam interessantes para os outros, mas são totalmente fascinantes para nós. Eles são nós. Versões mais mesquinhas, mais inteligentes, mais sensuais que nós mesmos. É divertido conviver com eles, porque enfrentam o mesmo problema que nos incomoda. São nossas almas gêmeas, nossos amantes, nossos melhores amigos. Até os vilões. Sobretudo eles.

Mesmo em um livro como este, que não tem personagens, não me sinto sozinho, porque imagino o leitor, a quem evoco como aspirante a artista, bem parecido com meu eu mais jovem e menos grisalho, e a quem espero transmitir uma pequena fagulha de inspiração, revelar alguns ossos do ofício e ensinar uns poucos truques da profissão.

RESISTÊNCIA E CURA

Você já foi à Santa Fé? Há ali uma subcultura da "cura". A ideia é que existe algo terapêutico na atmosfera. Um lugar seguro para ir e se recompor. Há outros lugares (por exemplo, Santa Barbara, Ojai, Califórnia), habitados geralmente por pessoas de classe média alta, com mais tempo e dinheiro do que conseguem gastar, onde a cultura da cura também predomina. O conceito, em todos esses ambientes, parece ser que é necessário a pessoa completar a cura antes de começar a trabalhar.

Esse tipo de raciocínio, se é que me entende, é uma forma de Resistência. Afinal, o que estamos tentando curar? O atleta sabe que jamais acordará sem sentir dor. Ele tem de senti-la.

Lembre-se, a parte de nós que imaginamos precisar ser curada não é aquela com a qual criamos: esta está muito mais no fundo e é muito mais forte. A parte com a qual criamos é imune ao que nossos pais fazem, ao que a sociedade faz. É limpa, incorrupta; à prova de som, de água e de bala. Na realidade, quanto mais problemas tivermos, mais rica e melhor será essa parte.

A parte que precisa de cura é nossa vida pessoal, e ela nada tem a ver com trabalho. Além disso, haverá um método mais eficaz de cura que encontrar nosso centro de autossoberania? Não é nisso que se resume a cura?

Há duas décadas, em Nova York, eu ganhava vinte dólares por noite dirigindo um táxi e fugindo, em tempo integral, do meu trabalho. Certa noite, sozinho em meu apartamento alugado por cento e dez dólares ao mês, concluí que me desviara por caminhos falsos a tal ponto que já não conseguia racionalizar mais a situação. Peguei minha velha máquina de escrever, achando aquela a experiência mais inútil, mais sem sentido e, por que não dizer, mais penosa que podia imaginar. Por duas horas, fiquei sentado ali, me torturando, escrevendo coisas que ia jogando no lixo. Não aguentei mais. Empurrei a máquina para longe e fui até a cozinha. Na pia, louça de dez dias. Por algum motivo, senti-me com disposição suficiente para lavá-la. A água morna era agradável. O sabão e a esponja faziam seu trabalho. Uma pilha de pratos limpos começou a crescer no escorredor. Para meu espanto, notei que estava assobiando.

Senti que havia dobrado uma esquina.

Ótimo.

Dali para a frente, tudo iria bem.

Você entendeu? Eu não tinha escrito nada que prestasse. Levaria anos para que escrevesse alguma coisa boa, se é que um dia isso fosse acontecer. Mas pouco importava. O importante era que, após anos fugindo, eu havia me sentado e trabalhado.

Não me interprete mal. Não tenho nada contra a cura verdadeira. Todos precisamos dela. Mas isso nada tem a ver com nosso trabalho e pode ser um exercício colossal de Resistência. A Resistência gosta de "curar". Ela sabe que, quanto mais energia psíquica gastarmos remoendo as velhas e entediantes injustiças de nossa própria vida, menos entusiasmo teremos para fazer nosso trabalho.

RESISTÊNCIA E APOIO

Você já participou de *workshops*? Essas bobagens são verdadeiras faculdades que formam doutores em Resistência. Haverá melhor maneira de evitar o trabalho que ir a um *workshop*? Mas odeio ainda mais a palavra "apoio".

Procurar o apoio de amigos e familiares é como tê-los em volta do leito de morte. Pode ser muito bom; todavia, quando o navio zarpa, tudo o que eles podem fazer é ficar no cais acenando um adeusinho.

Qualquer apoio que recebemos de pessoas de carne e osso funciona como o dinheiro do jogo Monopoly: não é moeda legal no reino onde temos de realizar nosso trabalho. De fato, quanto mais energia despendemos recorrendo ao apoio de colegas e parentes, mais fracos nos tornamos e menos capazes de conduzir nossos negócios.

Minha amiga Carol teve um sonho, numa época em que sua vida estava ficando fora de controle. Ela se viu em um ônibus, e o motorista era Bruce Springsteen. De repente, ele se levantou, entregou as chaves a Carol e deu o fora. Carol entrou em pânico. Como iria dirigir aquele ônibus imenso que mais parecia um mastodonte? Os outros passageiros apenas olhavam. Obviamente, nenhum deles iria assumir a tarefa. Carol pegou o volante. E, para sua surpresa, descobriu que podia dirigir o ônibus.

Mais tarde, analisando o sonho, ela concluiu que Bruce Springsteen era "o patrão". O patrão de sua psique. O ônibus era o veículo de sua vida. O patrão estava dizendo a Carol que já era tempo de ela assumir o volante. Mais que isso, o sonho, colocando-a no banco do motorista e fazendo-a sentir que podia controlar o veículo na estrada, simulando uma corrida, procurava convencê-la de que ela era realmente capaz de controlar sua vida.

Um sonho desses proporciona uma ajuda de verdade. É um cheque que você pode descontar quando se senta, sozinho, para fazer seu trabalho.

P.S. Quando seu eu profundo criar um sonho assim, não fale sobre ele. Não dilua seu poder. O sonho é para você. Deve ficar entre você e sua Musa. Fique calado e use-o.

Mas há uma exceção: você pode compartilhá-lo com um colega se isso o ajudar ou encorajar nos próprios empreendimentos.

RESISTÊNCIA E RACIONALIZAÇÃO

A racionalização é o braço direito da Resistência. Sua função consiste em evitar que sintamos vergonha ao concluir que somos covardes por não fazer nosso trabalho.

MICHAEL

"Não despreze a racionalização. Aonde iríamos parar sem ela? Não conheço ninguém que passe um dia inteiro sem duas ou três boas racionalizações. Elas são mais importantes que o sexo."

SAM

"Ora, ora, não há nada mais importante que o sexo!"

MICHAEL

"Verdade? Você já passou uma semana sem racionalização?"

– Jeff Goldblum e Tom Berenger
em O *Reencontro*, de Lawrence Kasdan

Mas a racionalização tem o próprio ajudante. É a parte de nossa psique que realmente acredita no que nos diz.

Uma coisa é mentir para nós mesmos; outra é acreditar nessas mentiras.

RESISTÊNCIA E RACIONALIZAÇÃO: SEGUNDA PARTE

Resistência é medo. Mas ela é esperta demais para se mostrar sob essa forma. Por quê? Porque, se permitir que vejamos claramente que nosso medo está nos impedindo de trabalhar, poderemos nos envergonhar disso. E a vergonha talvez nos force a agir diante do medo.

A Resistência não quer que trabalhemos e convoca a Racionalização. A Racionalização é o arauto da Resistência, o modo como a Resistência esconde o porrete atrás das costas. Em vez de nos mostrar nosso medo (que poderia nos envergonhar e nos impelir ao trabalho), a Resistência aparece com uma série de justificativas plausíveis e racionais para não trabalharmos.

O que há de mais insidioso nas racionalizações apresentadas pela Resistência é que muitas delas são verdadeiras. Legítimas. Nossa esposa pode mesmo estar no oitavo mês de gravidez; pode mesmo precisar de nós em casa. Nosso departamento pode mesmo estar fazendo mudanças que vão consumir mais horas de nosso tempo. Talvez seja mesmo sensato adiar a conclusão de nossa tese, pelo menos até um pouco depois do nascimento do bebê.

O que a Resistência deixa de lado, é claro, é que tudo isso não significa nada. Tolstói tinha treze filhos e escreveu *Guerra e Paz*.

A RESISTÊNCIA PODE SER VENCIDA

Se a Resistência não pudesse ser vencida, não haveria Quinta Sinfonia, *Romeu e Julieta*, a ponte Golden Gate. Derrotar a Resistência é como dar à luz. Parece absolutamente impossível, até você refletir que as mulheres vêm fazendo isso com sucesso, acompanhadas ou sozinhas, há cinco milhões de anos.

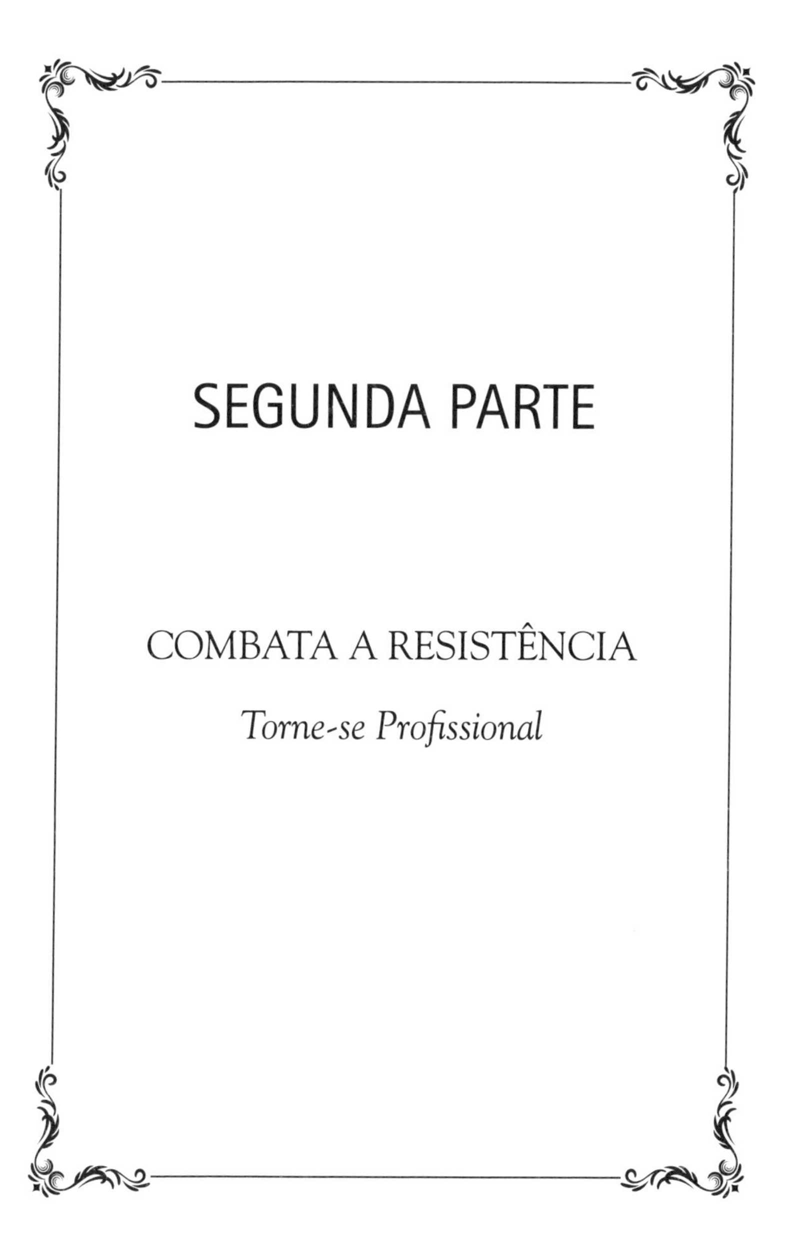

SEGUNDA PARTE

COMBATA A RESISTÊNCIA

Torne-se Profissional

"Uma coisa é estudar a guerra, outra é guerrear."

– Télamon da Arcádia, mercenário do século V a.C.

PROFISSIONAIS E AMADORES

Os aspirantes a artistas derrotados pela Resistência têm algo em comum. Todos eles pensam como amadores. Ainda não se tornaram profissionais.

O momento em que um artista se torna profissional é tão memorável quanto o do nascimento do primeiro filho. Num passe de mágica, tudo muda. Não tenho dúvida de que minha vida pode ser dividida em duas partes: antes e depois de me tornar profissional.

Para ser claro: quando digo profissional, não me refiro a médicos e advogados, que exercem "profissões". Refiro-me ao profissional ideal. Ao profissional em contraste com o amador. Veja as diferenças.

O amador trabalha por diversão. O profissional trabalha para ganhar a vida.

Para o amador, o trabalho é um *hobby*. Para o profissional, uma vocação.

O amador trabalha meio expediente. O profissional trabalha período integral.

O amador é guerreiro de fim de semana. O profissional guerreia sete dias por semana.

A palavra "amador" vem do radical latino que significa "amar". A interpretação convencional é que o amador persegue sua vocação por amor, enquanto o profissional o faz por dinheiro. Não é assim que vejo as coisas. Para mim, o amador não ama seu trabalho o bastante. Se o amasse, não o exerceria marginalmente, diferenciando-o de sua vocação "real".

O profissional ama seu trabalho a tal ponto que dedica a ele sua vida. Em tempo integral.

É isso que quero dizer com "tornar-se profissional".

A Resistência sente ódio ao ver que nos tornamos profissionais.

UM PROFISSIONAL

Alguém perguntou a Somerset Maugham se ele escrevia por programação ou por inspiração. "Escrevo somente quando a inspiração vem", respondeu ele. "Felizmente, ela vem sempre às nove da manhã em ponto."

Esse é um profissional.

Em termos de Resistência, o que Maugham quis dizer foi: "Desprezo a Resistência. Não permito que ela me bloqueie. Sento-me e trabalho".

Maugham tocou em outra verdade, ainda mais profunda: ao realizar o ato corriqueiro e físico de sentar-se e pôr mãos à obra, ele iniciava uma sequência misteriosa, mas infalível, de eventos que produziriam inspiração com tanta certeza quanto se a deusa sincronizasse o relógio dela com o dele.

Maugham sabia que, agindo assim, a deusa viria.

COMO É O DIA DE UM ESCRITOR

Acordo me sentindo desagradavelmente insatisfeito. Sinto medo. Meus entes queridos começam a se desvanecer. Interajo. Estou presente. Mas não estou.

Não penso no trabalho. Confiei essa tarefa à Musa. O que percebo é a Resistência em minhas entranhas. Respeito-a muito porque, bem sei, ela pode me derrubar tão facilmente a qualquer hora quanto a vontade de beber pode derrotar um alcoólatra.

Ocupo-me dos afazeres, da correspondência, das obrigações do cotidiano. Continuo ali, mas não de verdade. O relógio avança em minha cabeça; sei que posso continuar entregue às ninharias ainda por algum tempo, mas preciso interrompê-las quando a campainha toca.

Estou totalmente consciente do Princípio da Prioridade, que estabelece: (a) você tem de saber a diferença entre o que é urgente e o que é importante; e (b) você tem de fazer, primeiro, o que é importante.

O importante é o trabalho. Esse é o jogo que devo jogar. Esse é o terreno onde devo dar tudo de mim.

Acredito realmente que meu trabalho seja crucial para a sobrevivência do planeta? Claro que não. Mas é tão importante para mim quanto, para o gavião, que vejo pela janela voando em círculos, é agarrar um rato. Ele está com fome. Precisa caçar. Eu também.

Terminei as tarefas. Chegou a hora. Rezo e vou à caça.

O sol ainda não está alto. Faz frio. Os campos nos arredores estão encharcados. Espinhos ferem meus pés, ramos batem no meu rosto. A colina é uma desgraça, mas o que fazer? Pôr um pé na frente do outro e continuar subindo.

Uma hora se passa. Estou com calor agora, a caminhada ativou meu sangue. Os anos me ensinaram uma habilidade: como me sentir péssimo. Sei ficar calado e continuar transando. Isso é grande trunfo para um ser humano, o papel correto para um mortal. Não ofende os deuses, mas invoca sua intercessão. Meu eu resmungão está recuando. Os instintos correm para tomar seu lugar. Outra hora se passa. Contorno o matagal e lá está: a bela lebre gorda que eu sabia que apareceria caso continuasse ligado.

De volta da colina, agradeço aos imortais e lhes ofereço parte da caça. A caça foi um presente deles; merecem seu quinhão. Sou grato.

Brinco com as crianças diante da lareira. Estão alegres, o velho lhes trouxe comida. A velha senhora também está alegre e cozinha a lebre. Estou feliz. Mereci meu sustento no planeta, ao menos por hoje.

A Resistência, agora, não atua. Não penso na caçada nem no escritório. A tensão desaparece de minha nuca e das minhas costas. O que sinto, digo e faço esta noite não vem de nenhuma parte repudiada ou não resolvida de mim, de nenhuma parte corrompida pela Resistência.

Vou dormir contente, mas meu último pensamento é para a Resistência. Acordarei com ela amanhã. Já estou me preparando.

COMO SE SENTIR PÉSSIMO

Na juventude, tentando escapar do alistamento, acabei no Corpo de Fuzileiros Navais. Há o mito de que o treinamento dos fuzileiros transforma recrutas inocentes em assassinos sanguinários. Acreditem em mim, o Corpo de Fuzileiros Navais não é tão eficiente assim. O que ensina, no entanto, é bem mais útil.

O Corpo de Fuzileiros Navais ensina você a se sentir péssimo.

Isso tem valor inestimável para os artistas.

Os fuzileiros gostam de se sentir péssimos. Sentem prazer maligno em ter comida fria, equipamento ruim e sofrer mais baixas que os soldados do exército, os marinheiros ou os aviadores, a quem desprezam. Por quê? Porque esses almofadinhas não sabem se sentir péssimos.

O artista que deu ouvidos à sua vocação alistou-se no inferno, sabendo disso ou não. Entrará em uma dieta de isolamento, rejeição, insegurança, desespero, ridicularização, inveja e humilhação.

O artista tem de ser igual ao fuzileiro. Tem de saber se sentir péssimo. Tem de gostar de se sentir péssimo. Tem de se orgulhar de se sentir pior que o soldado de infantaria, o marinheiro ou o aviador. Porque isso aqui é guerra, garoto. E a guerra é um inferno.

TODOS JÁ SOMOS PROFISSIONAIS

Todos somos profissionais em uma área: nossos empregos. Recebemos o pagamento. Trabalhamos por dinheiro. Somos profissionais.

Mas há princípios que podemos extrair do que temos feito com sucesso em nosso emprego e aplicá-los às aspirações artísticas? Quais são, exatamente, as qualidades que nos definem como profissionais?

1) *Chegamos na hora todos os dias*. Talvez só façamos isso porque precisamos, para não ser demitidos. Mas fazemos. Somos pontuais.
2) *Chegamos na hora*, não importa o que aconteça. Na saúde ou na doença, faça chuva ou faça sol, lá estamos na empresa. Podemos fazer isso apenas para não desapontar nossos colegas ou por outras razões menos nobres. Mas fazemos. Somos pontuais, não importa o que aconteça.
3) *Passamos o dia no emprego*. Nossa mente pode divagar, mas nosso corpo está presente. Pegamos o telefone quando ele toca, atendemos o cliente quando ele pede

nossa ajuda. Não vamos para casa enquanto o expediente não termina.

4) *Nosso compromisso é de longo prazo*. No próximo ano, poderemos arranjar outro emprego, em outra empresa, em outro país. Mas ainda estaremos trabalhando. Até ganharmos na loteria, faremos parte da força de trabalho.
5) *Os riscos, para nós, são grandes e reais*. Trata-se de sobreviver, alimentar nossa família, educar nossos filhos. Trata-se de comer.
6) *Recebemos por nosso trabalho*. Não estamos trabalhando por divertimento. Estamos trabalhando por dinheiro.
7) *Não nos identificamos muito com o emprego*. Podemos nos orgulhar de nosso trabalho, ficar até mais tarde e fazer hora extra nos fins de semana, mas reconhecemos que não somos nosso emprego. O amador, ao contrário, identifica-se completamente com seu *hobby*, sua aspiração artística. Esta o define. Ele é músico, pintor, dramaturgo. A Resistência adora isso. Sabe que o compositor amador jamais comporá sua sinfonia porque se preocupa com o sucesso e se aterroriza com o fracasso. O amador leva o trabalho tão a sério que este o paralisa.
8) *Dominamos as técnicas de nossos empregos*.
9) *Ironizamos um pouco nossos empregos*.
10) *Somos elogiados ou criticados no mundo real*.

Agora considere o amador: o aspirante a pintor ou a dramaturgo. De que modo ele atende à sua vocação?

Um, ele não aparece todos os dias. Dois, ele não aparece nunca. Três, ele não fica no emprego o dia todo. Não tem compromisso a longo prazo. Para ele, os riscos são ilusórios, falsos. Não ganha dinheiro. E se identifica totalmente com sua arte. Não ironiza o fracasso. Ninguém o ouve reclamar: "Essa maldita trilogia está acabando comigo!". Em vez disso, não escreve a trilogia.

O amador não domina a técnica de sua arte. Não se expõe ao julgamento do mundo real. Quando mostramos um poema nosso a um amigo e ele diz "Maravilhoso, gostei muito!", isso não é elogio do mundo real; é nosso amigo querendo nos agradar. Nada empodera tanto quanto a validação do mundo real, ainda que isso implique fracasso.

Meu primeiro emprego como escritor profissional surgiu após dezessete anos de tentativas, num filme chamado *A Volta de King Kong*. Eu e meu parceiro na época, Ron Shusett (autor e produtor brilhante, que também fez *Alien* e *O Vingador do Futuro*), elaboramos o roteiro para Dino DeLaurentiis. Gostamos do trabalho. Tínhamos certeza do sucesso. Mesmo depois de vermos o filme concluído, não duvidávamos de que fosse um *blockbuster*. Convidamos todos os conhecidos para a estreia e até alugamos a residência vizinha para uma festa em comemoração ao triunfo. "Cheguem cedo", avisamos aos nossos amigos, "porque o lugar vai ficar cheio".

Ninguém apareceu no cinema. Só havia um sujeito na fila, além de nossos convidados, e ele resmungava alguma coisa sobre o troco. Nossos amigos aguentaram o filme em muda estupefação. Quando as luzes se acenderam, sumiram como baratas na noite.

No dia seguinte, apareceu na *Variety*: "Tomara que Ronald Shusett e Steven Pressfield sejam pseudônimos, para o bem de suas famílias". Depois das primeiras críticas negativas, o filme mal chamou a atenção. Mas eu ainda tinha esperança. Talvez não agradasse no centro da cidade, mas se saísse melhor nos bairros. Fui a um centro comercial suburbano e perguntei ao pipoqueiro: "Como está indo *A Volta de King Kong*?". Ele baixou o polegar: "Esqueça, cara. Uma porcaria".

Fiquei arrasado. Lá estava eu, com 42 anos, divorciado, sem filhos, tendo renunciado a todas as buscas humanas normais para realizar o sonho de ser escritor. Havia finalmente posto meu nome em uma grande produção hollywoodiana estrelada por Linda Hamilton e o que acontecera? Sou um perdedor, uma farsa; minha vida não vale nada, e eu também não.

Meu amigo Tony Keppelman me tirou dessa fossa perguntando-me se eu iria desistir. Diabos, não! "Então fique feliz. Está onde queria estar, certo? Vai levar algumas porradas, e esse é o preço de entrar em campo em vez de ficar na arquibancada. Pare de reclamar e sinta-se grato."

Então, percebi que tinha me tornado um profissional. O sucesso ainda não viera. Mas um fracasso real, sim.

POR AMOR AO JOGO

Vamos esclarecer um ponto a respeito do profissionalismo: o profissional, embora aceite dinheiro, faz seu trabalho por amor. Tem de amar seu trabalho, do contrário não devotaria sua vida a ele de livre e espontânea vontade.

O profissional, contudo, aprendeu que muito amor não é bom. Muito amor pode sufocá-lo. O aparente desprendimento do profissional e o sangue-frio em seus atos são um recurso compensatório para impedi-lo de amar demais o jogo, a ponto de se sentir paralisado. Jogar por dinheiro ou fingir que joga por dinheiro abaixa sua febre.

Lembre-se do que eu disse sobre medo, amor e Resistência. Quanto mais você amar sua arte, sua vocação ou seu empreendimento, quanto mais importante for para a evolução de sua alma concluir a tarefa, mais medo você terá e mais Resistência enfrentará no processo. A recompensa para quem joga em troca de dinheiro não é o próprio dinheiro (que talvez você nunca veja, mesmo depois de se tornar um profissional). A recompensa é que jogar por dinheiro cria a atitude profissional adequada, inculcando a mentalidade do almoço rápido, da dedicação e da pontualidade na pessoa, que corre ao trabalho faça chuva ou faça sol e empreende uma luta diária.

O escritor é um soldado de infantaria. Sabe que o progresso é medido em metros de terra arrancados do inimigo por dia, por hora, por minuto, e pagos com sangue. O artista calça coturnos. Olha-se no espelho e vê um GI Joe. Lembre-se, a Musa favorece quem trabalha duro. Não gosta da prima-dona. Para os deuses, o maior pecado não é o estupro nem o assassinato, mas o orgulho. Pensar-se como mercenário, como guerreiro de aluguel, desperta a devida humildade. Elimina o orgulho e a frescura.

A Resistência adora o orgulho e a frescura. Diz: "Mostre-me um escritor que se acha bom demais para pegar o emprego X ou o trabalho Y e eu lhe mostrarei um sujeito que posso esmagar como uma noz".

Tecnicamente, o profissional ganha dinheiro. Tecnicamente, o profissional trabalha em troca de pagamento. Mas, no fim, faz isso por amor.

Reflitamos: quais são as características do profissional?

O PROFISSIONAL É PACIENTE

A Resistência engana o amador com o truque mais velho que existe: usa o entusiasmo dele contra ele. A Resistência nos induz a mergulhar num projeto ambicioso demais, com prazo curto demais. Sabe que não conseguiremos aguentar até o fim. Vamos desistir. Vamos desmoronar.

O profissional, ao contrário, sabe que a gratificação pode demorar. Ele é a formiga, não a cigarra; a tartaruga, não a lebre. Você já ouviu a história de Sylvester Stallone, que passou três noites seguidas acordado para bolar o roteiro de *Rocky*? Não sei se é verdadeira, mas pode ser. Entretanto, esse é o tipo de mito mais pernicioso para contar ao escritor principiante, pois o leva a crer que pode conseguir tudo sem dor nem persistência.

O profissional arma-se de paciência não só para dar às estrelas tempo de se alinharem em sua carreira, mas também para não se esgotarem em um único trabalho. Sabe que qualquer tarefa, seja um romance ou um reparo na cozinha, leva duas vezes mais tempo e custa duas vezes mais que o planejado. Ele aceita isso. Reconhece que as coisas são assim.

O profissional se fortalece desde o início do projeto, sabendo que tem pela frente uma maratona, não uma corrida de cem metros. Poupa energia. Prepara a mente para a longa aventura e sabe que, se conseguir se manter em forma, cedo ou tarde alcançará a linha de chegada.

O PROFISSIONAL QUER ORDEM

Quando eu morava em uma van, precisava arrancar minha máquina de escrever debaixo de camadas de ferramentas, roupa suja e livros velhos. Aquele veículo era um ninho, uma colmeia, um pedaço do inferno sobre rodas, cuja superfície eu tinha de limpar todas as noites para abrir um buraco onde dormir.

Um profissional não pode viver assim. Tem uma missão a cumprir. Não tolera desordem. Elimina o caos de seu mundo para bani-lo da mente. Quer o tapete sem pó e o chão varrido, para que a Musa entre sem sujar a barra da túnica.

O PROFISSIONAL DESMISTIFICA

O profissional vê seu trabalho como ofício, não como arte. Não que considere a arte despida de dimensão mística. Ao contrário. Compreende que toda tarefa criativa é sagrada, mas não se prende a isso. Sabe que, se pensar demais no assunto, este o paralisará. Assim, concentra-se na técnica. O profissional domina o "como", deixando o "que" e o "por que" para os deuses. Como Somerset Maugham, não espera a inspiração; age antes que ela apareça. O profissional tem perfeita consciência dos elementos intangíveis que formam a inspiração. Por respeito a eles, deixa-os trabalhar. Concede-lhes um reino e se concentra no dele.

A marca do amador é a superglorificação do oculto, a preocupação com o mistério.

O profissional se cala. Não toca no assunto. Trabalha.

O PROFISSIONAL AGE APESAR DO MEDO

O amador pensa que, primeiro, deve vencer o medo para depois fazer seu trabalho. O profissional sabe que o medo não pode ser vencido. Sabe que não existe nem guerreiro nem artista sem medo.

Depois de vomitar no camarim, o que Henry Fonda faz é limpar-se e ir para o palco. Continua aterrorizado, mas força-se a seguir em frente, apesar do terror. Sabe que, uma vez em ação, o medo desaparecerá e ele ficará bem.

O PROFISSIONAL NÃO ACEITA DESCULPAS

O amador, subestimando a esperteza da Resistência, permite que a gripe o mantenha longe do manuscrito; acredita na voz da serpente no ouvido dizendo-lhe que colocar esse manuscrito no correio é mais importante que cumprir a tarefa do dia.

O profissional aprendeu mais coisas. Respeita a Resistência. Não ignora que, se ceder hoje, por mais plausível que seja o pretexto, terá duas vezes mais probabilidade de ceder amanhã.

O profissional sabe que a Resistência é como um funcionário de *telemarketing*: se você disser apenas um alô, estará perdido. O profissional nem sequer atende o telefone. Continua trabalhando.

O PROFISSIONAL JOGA DE ACORDO COM AS CONDIÇÕES

Meu amigo Hawk e eu estávamos ainda no primeiro buraco do golfe em Prestwick, na Escócia. O vento soprava da esquerda. Arrisquei uma jogada de trinta metros com o taco número 8 na direção do vento, mas este desviou a bola. Vi-a, desanimado, voar para a direita, bater na grama, saltar para o lado e sumir no mato. "Diabos!", resmunguei, virando-me para o carregador de tacos. "Viu como o vento desviou a bola?"

Ele me olhou como só olham os carregadores de tacos escoceses. "Bem, você deve levar em conta o vento, não?"

O profissional conduz seus negócios no mundo real. Adversidade, injustiça, desvios, telefonemas chatos, até boas pausas e quicadas de sorte são o terreno no qual se deve conduzir a campanha. O profissional compreende que gramado perfeitamente plano só existe no céu.

O PROFISSIONAL ESTÁ SEMPRE PREPARADO

Não falo de habilidade, pois isso nem é preciso mencionar. O profissional está sempre preparado em nível mais profundo. Prepara-se todos os dias para enfrentar sua autossabotagem.

O profissional sabe que a Resistência é fértil em expedientes e muito engenhosa. Vai lhe mostrar coisas que ele nunca viu antes.

O profissional prepara-se mentalmente para bater e apanhar. Seu objetivo é aceitar o que vier pela frente. Está preparado para ser contido e imprudente, para apanhar quando necessário e para atacar quando puder. Sabe que o terreno muda todos os dias. Seu objetivo não é alcançar a vitória (o sucesso virá por si, quando for a hora), mas controlar-se com firmeza e determinação.

O PROFISSIONAL NÃO SE EXIBE

O trabalho de um profissional tem estilo, e seu estilo é inconfundível. Mas ele não deixa que seja sua marca registrada. Seu estilo é para o que ele faz: não o impõe como meio de chamar a atenção sobre si mesmo.

Mas isso não significa que ele "não dê suas enterradas" de vez em quando, só para mostrar aos caras que ainda está na ativa.

O PROFISSIONAL PROCURA DOMINAR A TÉCNICA

O profissional respeita sua habilidade e não se considera superior a ela. Reconhece a contribuição daqueles que o precederam. Aprende com eles.

O profissional procura dominar a técnica não porque a considere substituta da inspiração, mas porque deseja estar de posse de todas as habilidades quando a inspiração não vier. O profissional é astuto. Sabe que, se trabalhar com afinco diante da porta da técnica, deixará o *genius* entrar pelos fundos.

O PROFISSIONAL NÃO HESITA EM PEDIR AJUDA

Tiger Woods é o maior golfista do mundo. No entanto, tem um professor: trabalha com Butch Harmon. E Tiger não reclama nem sofre por causa dessa instrução; diferentemente, diverte-se com ela. Sua maior alegria no esporte é praticar com Butch no gramado e aprender mais sobre o jogo que adora.

Tiger Woods é profissional por excelência. Jamais lhe ocorreria, como ocorre ao amador, que sabe tudo ou pode descobrir tudo sozinho. Nada disso. Ele procura o melhor professor e escuta-o atentamente. O estudioso do jogo sabe que os níveis de revelação no golfe, como em qualquer arte, são inexauríveis.

O PROFISSIONAL SE DISTANCIA DE SEU INSTRUMENTO

O profissional fica longe de seu instrumento – ele mesmo, seu corpo, sua voz, seu talento; o ser físico, mental, emocional e psicológico que usa no trabalho. Não se identifica com o instrumento. Este é apenas algo que Deus lhe deu, algo com que tem de trabalhar. E ele o faz de cabeça fria, impessoal e objetivamente.

O profissional identifica-se com sua consciência e sua vontade, não com a matéria que sua vontade e sua consciência manipulam a serviço da arte. Por acaso Madonna anda pela casa de sutiã em forma de cone e bustiês sensuais? Não, ela está ocupada demais planejando o Dia D. Madonna não se identifica com "Madonna". Madonna emprega "Madonna".

O PROFISSIONAL NÃO LEVA O FRACASSO (OU O SUCESSO) PELO LADO PESSOAL

Quando as pessoas dizem que um artista é casca-grossa, não querem dizer que é estúpido ou avoado, mas que colocou a consciência profissional longe do ego pessoal. É preciso muita força de caráter para fazer isso, pois vai contra nossos instintos mais profundos. A evolução nos programou para sentir a rejeição bem lá no fundo. Por isso a tribo insistia na obediência, sob ameaça de expulsão. O medo da rejeição não é apenas psicológico; é também biológico. Está em nossas células.

A Resistência sabe disso e usa-o contra nós. Recorre ao medo da rejeição para nos paralisar e nos impedir senão de fazer nosso trabalho, pelo menos de expô-lo ao olhar público. Tenho um amigo que trabalhou durante anos em um excelente romance, muito original. Estava pronto e podia ser colocado no correio. Mas ele não se animava a fazê-lo. O medo da rejeição o imobilizava.

O profissional não pode encarar a rejeição pelo lado pessoal, porque isso reforça a Resistência. Os editores não são o inimigo; os críticos não são o inimigo. O inimigo é a Resistência. A batalha trava-se em nossa própria cabeça. Não podemos permitir que a crítica externa, ainda que justa, fortaleça nosso inimigo interior. Ele já é forte o bastante.

O profissional obriga-se a permanecer distante de seu desempenho, ainda que se entregue a ele de corpo e alma. O *Bhagavad-Gita* nos ensina que temos direito apenas ao nosso trabalho, não aos seus frutos. Só o que o guerreiro pode dar é a vida; só o que o atleta pode fazer é levar tudo que tem para o campo.

O profissional ama seu trabalho, de todo coração. Mas não se esquece de que o trabalho não é ele. Seu eu artístico contém muitas tarefas e muitos desempenhos. Os próximos já estão fermentando dentro dele. Os próximos serão melhores, e os seguintes, melhores ainda.

O profissional valida a si próprio. É obstinado. Diante da indiferença ou da adulação, defende suas realizações com frieza e objetividade. Se essas realizações falham, ele as melhora; se triunfam, procura melhorá-las ainda mais. Trabalhará em dobro. Voltará a se ocupar delas amanhã.

O profissional dá ouvidos às críticas, procurando aprender e progredir. Mas nunca se esquece de que a Resistência usa a crítica contra ele num nível bem mais diabólico. A Resistência convoca a crítica para reforçar a quinta-coluna do medo, já atuante na cabeça do artista, na tentativa de abalar sua vontade e inibir sua dedicação. O profissional não cede a isso. Sua resolução é inabalável: aconteça o que acontecer, não deixarei que a Resistência me derrote.

O PROFISSIONAL SUPORTA A ADVERSIDADE

Morei em Tinseltown por cinco anos, concluí nove roteiros por conta própria e nenhum foi aceito. Por fim, consegui uma entrevista com um grande produtor. Ele continuou atendendo a telefonemas mesmo enquanto eu explicava meu trabalho. Tinha um fone de ouvido, de modo que nem precisava tirar o telefone do gancho. As chamadas chegavam e ele as atendia. Até que veio uma pessoal. "Pode me dar licença?", perguntou-me, mostrando a porta. "Preciso de alguma privacidade para esta." Saí. A porta se fechou atrás de mim. Passaram-se dez minutos. Fiquei do lado de fora com as secretárias. Mais vinte minutos se passaram. Por fim, a porta do produtor se abriu, e ele apareceu, vestindo a jaqueta. "Oh, me desculpe!"

Tinha se esquecido de mim.

Sou humano. Isso machuca. Eu não era nenhuma criança; estava na casa dos 40, com uma ficha de fracassos mais comprida que um braço.

O profissional não pode levar a humilhação para o lado pessoal. A humilhação, como a rejeição e a crítica, é o reflexo externo da Resistência interna.

O profissional suporta a adversidade. Deixa o cocô de passarinho sujar seu casaco, sabendo que este ficará limpo de novo com uma boa lavada. Ele próprio, seu centro criativo, não pode ser sepultado nem mesmo sob uma montanha de guano. Esse centro é à prova de bala. Nada pode tocá-lo, a menos que ele permita.

Certa vez, vi um velhote gorducho e feliz em seu Cadillac, na estrada. Estava com o ar-condicionado ligado, ouvindo um som no CD e fumando um charuto. A placa do carro dizia:

IMPOSTOS PAGOS

O profissional dá atenção ao que importa. Sabe que é melhor estar na arena, perseguido pelo touro, que na arquibancada ou no estacionamento.

O PROFISSIONAL VALIDA A SI MESMO

O amador permite que as opiniões negativas dos outros o derrubem. Leva a sério a crítica externa, permitindo que ela abale a confiança que ele tem em si mesmo e em seu trabalho. A Resistência adora isso.

Posso contar outra história de Tiger Woods? No último dia do torneio Masters de 2001 (que Tiger venceu, completando os quatro principais torneios do Slam), faltando ainda quatro buracos, um idiota qualquer na arquibancada disparou sua câmera no momento em que Tiger preparava seu *backswing*. Por incrível que pareça, ele conseguiu deter o movimento e interromper a tacada. Mas isso não foi tudo. Após olhar feio para o malfeitor, Tiger se recompôs, voltou à bola, bateu e acertou.

Esse é um profissional. Firme num nível que muitos de nós não conseguem entender nem imitar. Mas vejamos mais de perto o que Tiger fez – ou, antes, não fez.

Primeiro, não reagiu reflexivamente. Não permitiu que um ato capaz de provocar uma resposta automática de raiva produzisse, de fato, essa raiva. Controlou sua reação. Dominou sua emoção.

Segundo, não levou o incidente para o lado pessoal. Não encarou o ato daquele fotógrafo como um golpe deliberado dirigido individualmente a ele, para atrapalhar seu lance. Poderia ter reagido com revolta ou indignação, ou se vitimizado. Não fez isso.

Terceiro, não encarou aquilo como sinal da má vontade do céu. Poderia ter considerado a interrupção uma intervenção maliciosa dos deuses do golfe, como um mau salto no beisebol ou um erro do juiz de linha no tênis. Poderia ter reclamado, ficado com raiva ou cedido mentalmente a essa injustiça, a essa interferência, usando o incidente como desculpa para o fracasso. Não fez isso.

O que ele fez foi manter o domínio do momento. Entendeu que, embora tivesse recebido aquele golpe de um agente externo, tinha uma tarefa a cumprir, uma tacada que precisava dar ali mesmo, naquele instante. Sabia que estava ainda em seu poder dar a tacada. Nada se interpunha em seu caminho, exceto algum desequilíbrio emocional a que porventura cedesse. A mãe de Tiger, Kultida, é budista. Talvez tenha aprendido com ela a compaixão, a renúncia à raiva diante da leviandade de um fotógrafo demasiado zeloso. Seja como for, Tiger Woods, profissional por excelência, exteriorizou sua raiva com um olhar rápido, recompôs-se e voltou à tarefa que tinha pela frente.

O profissional não permite que atos alheios definam sua realidade. Amanhã, o crítico terá desaparecido, mas o escritor continuará às voltas com a página em branco. Só o que importa é continuar trabalhando. Exceto no caso de uma crise familiar ou da eclosão da Terceira Guerra Mundial, o profissional estará sempre pronto para servir aos deuses.

Lembre-se: a Resistência quer que cedamos o domínio aos outros. Quer que façamos nosso autovalor, nossa identidade e nossa razão de ser dependerem da resposta de outros ao nosso trabalho. A Resistência sabe que não podemos suportar isso. Ninguém pode.

O profissional ignora os críticos. Nem sequer os ouve. Os críticos, para ele, são os porta-vozes inconscientes da Resistência e, como tais, às vezes se mostram muito espertos e perniciosos. Podem destilar em seus textos o mesmo veneno tóxico que a Resistência prepara em nossa cabeça. Nisso consiste seu verdadeiro mal. Não é que acreditemos neles: acreditamos na Resistência em nossa mente, para a qual trabalham como porta-vozes involuntários.

O profissional aprende a reconhecer a crítica invejosa e a tomá-la pelo que vale: um supremo elogio. O crítico odeia o que ele próprio faria se tivesse capacidade.

O PROFISSIONAL RECONHECE SUAS LIMITAÇÕES

Contrata um agente, um advogado, um contador. Sabe que só pode ser profissional em uma área. Chama outros profissionais e os trata com respeito.

O PROFISSIONAL SE REINVENTA

Goldie Hawn observou, certa vez, que só havia três idades para uma atriz em Hollywood: "Criança, promotora pública e *Conduzindo Miss Daisy*". Ela queria dizer outra coisa, mas a verdade é uma só: como artistas, servimos à Musa, e a Musa pode reservar para nós mais de um emprego ao longo da vida.

O profissional não se permite ficar preso a uma única encarnação, por mais confortável e bem-sucedida que ela seja. Como alma em processo de transmigração, ele descarta seu corpo gasto, veste um novo e continua a jornada.

UM PROFISSIONAL É RECONHECIDO POR OUTROS PROFISSIONAIS

Um profissional fareja o outro. Como Alan Ladd e Jack Palance se sondando em *Os Brutos Também Amam*, um revólver reconhece outro.

VOCÊ S/A

Quando me mudei para Los Angeles e conheci alguns roteiristas, soube que muitos deles tinham a própria empresa. Prestavam serviços não como eles próprios, mas como "colaboradores" de sua empresa de um homem só. Seus contratos previam remuneração p/s/d (pelos serviços de) deles mesmos. Eu nunca tinha visto isso. Achei engraçado.

O escritor que se torna empresa tem certas vantagens financeiras e na hora de pagar o imposto. Entretanto, o que mais aprecio nisso tudo é a metáfora. Gosto da ideia de ser Eu S/A. Assim, posso usar dois chapéus. Posso me contratar e me demitir. Posso até, como disse certa vez Robin Williams a respeito de escritores-produtores, acabar comigo mesmo.

Tornar-se empresa (ou imaginar-se uma) reforça a ideia de profissionalismo, porque separa o artista que faz o trabalho da vontade e da consciência que conduzem o espetáculo. Não importa quanto mal se faça ao primeiro, o segundo assume as rédeas e segue em frente. O mesmo ocorre com o sucesso: você, escritor, pode se sentir com a bola toda, mas você, patrão, sabe como baixar essa bola.

Você já trabalhou em escritório? Então conhece as reuniões das manhãs de segunda-feira. O grupo se junta em uma sala e o chefe distribui as tarefas da semana a cada um. Finda a reunião, uma assistente prepara as listas dessas tarefas. Quando a lista chega à sua mesa, uma hora depois, você já sabe exatamente o que precisa fazer durante a semana.

Faço uma reunião dessas comigo mesmo todas as segundas-feiras. Sento-me e examino meus compromissos. Depois, digito tudo e entrego a mim mesmo.

Tenho papel timbrado e cartão da empresa, assim como talão de cheques. Registro as despesas e pago os impostos da empresa. Tenho cartões de crédito diferentes, para mim e para minha empresa.

Quando pensamos em nós como empresa, ficamos a uma distância saudável de nós mesmos. Ficamos menos subjetivos. Não levamos os reveses para o lado pessoal. Temos mais sangue-frio. Podemos estabelecer nossos preços de maneira mais realista. Às vezes, como João da Silva, sou tímido demais para sair e vender. Mas, como João da Silva S/A, posso fazer o diabo. Não sou mais eu. Sou Eu S/A.

Um profissional.

O BICHO A CAMINHO

Por que a Resistência permite que nos tornemos profissionais? Porque ela é valentona. Não tem força própria; sua força deriva totalmente do medo que sentimos dela. O valentão perde a coragem diante do primeiro baixinho que o enfrenta.

A essência do profissionalismo é o foco na tarefa em suas exigências enquanto a realizamos, excluindo todo o restante. Os antigos espartanos aprendiam a olhar o inimigo, qualquer inimigo, como pessoas sem nome e sem rosto. Ou seja, acreditavam que, se cumprissem seu dever, nenhuma força na face da Terra resistiria a eles. Em *Rastros de Ódio*, John Wayne e Jeffrey Hunter perseguem o chefe indígena Cicatriz, que raptara sua jovem parente, interpretada por Natalie Wood. O inverno os detém, mas Ethan Edwards, personagem de Wyane, não esmorece diante de sua decisão. Voltará à caçada na primavera, diz ele, e, cedo ou tarde, a vigilância do fugitivo enfraquecerá.

ETHAN

Ele parece não ter aprendido que há sempre um bicho a caminho. Pois vai encontrá-lo no final, isso é tão certo quanto a Terra girar.

O profissional está a caminho. Vence a Resistência em seu próprio jogo, mostrando-se mais resoluto e mais implacável que ela.

NENHUM MISTÉRIO

Não há mistério em se tornar profissional. É uma decisão tomada por um ato de vontade. Preparamos a mente para ela nos ver como profissionais – e ela vê. Simples assim.

TERCEIRA PARTE

ALÉM DA RESISTÊNCIA

O Reino Superior

"O primeiro dever é render sacrifícios aos deuses e rogar-lhes
que lhe concedam ideias, palavras e atos capazes de tornar seu
comando o mais agradável possível a eles e de trazer
para si mesmo, seus amigos e sua cidade o máximo de afeto,
glória e benefícios."

– Xenofonte, O *Comandante de Cavalaria*

OS ANJOS COMO ENTIDADES ABSTRATAS

Os próximos capítulos versarão sobre aquelas forças psíquicas invisíveis que nos amparam na jornada rumo a nós mesmos. Pretendo usar termos como *musas* e *anjos*.

Isso o desagrada?

Então tem minha permissão para conceber os anjos como entidades abstratas. Considere essas forças tão impessoais quanto a gravidade. E talvez sejam. Você acha muito difícil acreditar na existência de uma força que faz crescer cada grão ou semente? Ou de um instinto que impele cada gatinho ou potro a correr, brincar e aprender?

A Resistência, podendo ser concebida como pessoal (eu disse que ela "ama" isto ou aquilo, "odeia" isto ou aquilo), também pode ser encarada como uma força da natureza tão impessoal quanto a entropia ou a deterioração molecular.

Do mesmo modo, o apelo ao crescimento pode ser concebido como pessoal (um *daimon* ou um *genius*, um anjo ou uma musa) ou impessoal, como as marés ou o trânsito de Vênus. As duas coisas funcionam, desde que nos sintamos bem com elas. Mas, se a extradimensionalidade não goza de sua simpatia sob nenhuma forma, pense nela como “talento”, programado em nossos genes pela evolução.

Minha tese é: há forças que podemos chamar de nossas aliadas.

A Resistência faz de tudo para nos impedir de ser aquilo que nascemos para ser, mas poderes iguais e contrários se erguem contra ela. São nossos aliados e anjos.

ABORDANDO O MISTÉRIO

Por que insisti tanto em profissionalismo nos capítulos anteriores? Porque, em arte, o mais importante é o trabalho. Só o que importa é se sentar todos os dias e começar.

Por que isso é tão importante?

Porque, quando nos sentamos todos os dias para trabalhar, algo misterioso começa a acontecer. Um processo é posto em movimento, e, por ele, inevitável e infalivelmente o céu vem em nosso auxílio. Forças invisíveis perfilham nossa causa, e o acaso reforça nosso objetivo.

Eis outro segredo que os verdadeiros artistas sabem e os pretensos escritores ignoram. Quando nos sentamos todos os dias e fazemos nosso trabalho, o poder se concentra à nossa volta. A Musa toma nota de nossa dedicação. Aprova-a. Obtemos graça aos olhos dela. Quando nos sentamos e trabalhamos, tornamo-nos um ímã que atrai limalha de ferro. As ideias surgem. As percepções se multiplicam.

Assim como a Resistência tem sede no inferno, a Criação tem morada no céu. A Criação não é apenas uma testemunha, é uma aliada ativa e dedicada.

Aquilo que chamo de Profissionalismo outro poderá chamar de Código dos Artistas ou Caminho do Guerreiro. É uma atitude onde não há egoísmo, mas serviço. Os Cavaleiros da Távola Redonda eram castos e reservados. Mas enfrentavam dragões.

Nós também enfrentamos dragões. Enfrentamos grifos que deitam fogo pelas ventas, grifos da alma, que devemos combater e vencer para chegar ao tesouro de nosso eu potencial e libertar a donzela. Esses são o projeto e o destino que Deus traçou para nós, bem como a resposta à pergunta sobre o motivo de estarmos neste planeta.

INVOCANDO A MUSA

A citação de Xenofonte que abre esta seção foi extraída de um pequeno manual intitulado O *Comandante de Cavalaria*, onde o célebre guerreiro e historiador dá instruções aos jovens nobres que queriam ser oficiais no corpo de cavalaria ateniense. Ele afirma que o primeiro dever do comandante, antes de mandar limpar as cavalariças ou pedir financiamento ao Conselho de Defesa, é render sacrifícios aos deuses e invocar sua ajuda.

Faço a mesma coisa. Antes de me sentar para trabalhar, recito uma prece à Musa. Recito-a em voz alta, com fervor. Só depois dou início ao trabalho.

Quando eu estava passando dos 20, aluguei uma casa pequena no norte da Califórnia. Fui para lá para concluir um romance ou me matar tentando. Na época, eu terminara meu casamento com uma garota que amava de todo coração, encerrara duas carreiras, blá-blá-blá etc., tudo porque (embora na época não percebesse isso) não conseguia enfrentar a Resistência. Tinha nove décimos de um romance concluído e noventa e nove por cento de outro: ambos foram para o lixo. Não conseguia terminá-los. Faltava energia. Cedendo à Resistência, tornara-me vítima de todos os vícios, males e distrações já mencionados. Nada disso me levava a lugar nenhum, e, por fim, acabei naquela sonolenta cidade da Califórnia com minha van, meu gato e minha máquina de escrever.

Um sujeito chamado Paul Rink morava na mesma rua. Parecia um personagem de *Big Sur e as laranjas de Hieronymus Bosch*, de Henry Miller. Era escritor. Vivia em seu *trailer*, "Moby Dick". Eu tomava o café da manhã todos os dias com ele. Paul me apresentou todos os tipos de autores de que eu nunca ouvira falar, deu-me lições sobre autodisciplina, dedicação, os males do mercado. Mas, melhor de tudo, ensinou-me sua oração, a Invocação à Musa da *Odisseia* de Homero, na tradução de T. E. Lawrence. Paul datilografou-a para mim em sua máquina manual ainda mais velha que a minha. Conservo-a. Está amarelada, ressecada; um sopro, e ela se reduzirá a pó.

Em minha casinha, eu não tinha televisão. Nunca lia um jornal nem ia ao cinema. Só trabalhava. Uma tarde, estava martelando as teclas em meu quarto minúsculo, convertido em escritório, quando ouvi o rádio de meu vizinho tocando lá fora. Alguém declamava em voz alta: "[...] para preservar, proteger e defender a Constituição dos Estados Unidos". Saí. O que era aquilo? "Você não ouviu? Nixon está fora. Um cara novo assumiu."

Eu não sabia absolutamente nada de Watergate.

Estava determinado a continuar trabalhando. Falhara muitas vezes, causara muito sofrimento a mim mesmo e às pessoas que amava; se falhasse de novo, teria de me enforcar. Não sabia, então, o que era a Resistência. Ninguém me pusera a par desse conceito. Ela era durona, enorme. Eu a experimentava como uma tendência à autodestruição. Não conseguia terminar o que começava. Quanto mais perto chegava, mais maneiras diferentes entrevia de estragar tudo. Escrevi durante 26 meses seguidos, parando apenas um para fazer um trabalho temporário no estado de Washington. Finalmente, um belo dia, cheguei à última página e datilografei:

FIM.

Nunca achei quem aceitasse publicar aquele livro. Nem o seguinte. Só dez anos depois, peguei o primeiro cheque por algo que escrevi; e mais dez se passaram até que um romance, *The Legend of Bagger Vance*, viesse a público. Mas o momento em que bati nas teclas as letras da palavra FIM foi inesquecível. Lembro-me de tirar a folha da máquina e juntá-la ao maço que era o manuscrito terminado. Ninguém sabia que eu havia conseguido. Ninguém se importava. Mas eu me importei. Senti como se o dragão que enfrentara a vida inteira acabasse de desabar a meus pés, exalando seu último sopro sulfúrico.

Descanse em paz, seu desgraçado.

Na manhã seguinte, fui tomar café com Paul e disse-lhe que terminara. "Ótimo para você", disse ele, sem erguer os olhos. "Amanhã, comece outro."

INVOCANDO A MUSA: SEGUNDA PARTE

Antes de conhecer Paul, eu nunca ouvira falar das Musas. Ele me esclareceu. As Musas eram nove irmãs, filhas de Zeus e Mnemósine, que significa "memória". Seus nomes são Clio, Érato, Talia, Terpsícore, Calíope, Polímnia, Euterpe, Melpômene e Urânia. Sua função é inspirar artistas. Cada Musa é responsável por uma arte diferente. Há um bairro em Nova Orleans onde as ruas têm nomes de Musas. Morei ali e não sabia de que se tratava; para mim, eram apenas nomes esquisitos.

Ouçamos Sócrates no *Fedro* de Platão falando sobre o "nobre efeito da loucura enviada pelos deuses":

> O terceiro tipo de possessão e loucura é a possessão pelas Musas. Quando ela domina uma alma gentil e virgem, inspira-lhe a expressão na lírica e em outros tipos de poesia e glorifica os feitos incontáveis dos heróis antigos para instrução da posteridade. Entretanto, se um homem chega à porta da poesia sem ter sido tocado pela loucura das Musas, achando que a simples técnica fará dele um grande poeta, nem ele nem suas composi-

ções feitas sem loucura jamais atingem a perfeição, sendo totalmente eclipsados pelas realizações dos loucos.

Os gregos apreendiam o mistério personificando-o. Os antigos percebiam forças poderosas e primordiais no mundo. Para se aproximar delas, davam-lhes feições humanas. Chamavam-nas Zeus, Apolo, Afrodite. Os indígenas americanos sentiam o mesmo mistério, mas corporificavam-no em formas animistas: Urso Professor, Falcão Mensageiro, Coiote Vigarista.

Nossos ancestrais conheciam a fundo as forças e energias cuja sede não é o reino material, mas outro, mais sutil e misterioso. Como concebiam essa realidade superior?

Primeiro, acreditavam que ali a morte não existia. Os deuses são imortais.

Os deuses, embora parecidos com os homens, são infinitamente mais poderosos. Desafiar sua vontade é inútil. Agir com orgulho contra o céu é atrair calamidade.

Tempo e espaço possuem uma existência diferente nessa dimensão superior. Os deuses viajam "rápido como o pensamento". Alguns deles preveem o futuro, e, embora o dramaturgo Agatão nos diga:

> Só uma coisa é negada aos deuses:
> o poder de desfazer o passado.

os imortais podem fazer truques com o tempo, como nós mesmos fazemos, às vezes, em sonhos ou visões.

O Universo, segundo os gregos, não era indiferente. Os deuses interessavam-se pelos assuntos humanos e intercediam, para o bem ou para o mal, em nossos desígnios.

A visão contemporânea é que tudo isso é muito bonito, mas absurdo. Então responda: de onde veio *Hamlet*? De onde veio o Pártenon? De onde veio *Nu Descendo uma Escada*?

TESTAMENTO DE UM VISIONÁRIO

"*A eternidade ama as criações do tempo.*"
– William Blake

O poeta visionário William Blake foi, a meu ver, um desses avatares meio loucos que encarnam de tempos em tempos – sábios capazes de ascender por breves períodos aos planos sutis e voltar a fim de compartilhar conosco as maravilhas que contemplaram.

Devemos tentar decifrar o significado do verso acima?

Por "eternidade", creio eu, Blake quer dizer o reino superior ao nosso, um plano de realidade fora da dimensão material em que vivemos. Na "eternidade", não existe o tempo (ou a sintaxe de Blake não distinguiria "tempo" de "eternidade") e, provavelmente, nem o espaço. Esse plano pode ser habitado por criaturas superiores ou ser apenas consciência pura, espírito. Mas, seja o que for, é capaz de "amar", segundo Blake.

Se seres habitam esse plano, acredito que, para Blake, eles são incorpóreos. Não têm corpo. Ainda assim, mantêm conexão com o reino do tempo, aquele em que vivemos. Deuses ou espíritos frequentam essa dimensão. Têm interesse nela.

"A eternidade ama as criações do tempo" significa, para mim, que de algum modo esses seres do reino superior (ou o próprio reino, concebido abstratamente) exultam com aquilo que nós, criaturas presas ao tempo, podemos trazer à existência física em nosso reino material limitado.

Talvez eu esteja indo longe demais, mas, se esses seres exultam com as "criações do tempo", por que não nos dariam um empurrãozinho para podermos produzi-las? Se assim for, a imagem da Musa sussurrando inspiração ao ouvido do artista é muito apropriada.

Seres livres do tempo comunicando-se com seres presos ao tempo.

No modelo de Blake, conforme minha interpretação, a Quinta Sinfonia já existia nesse reino superior antes de Beethoven se sentar e tocar *tcham-tcham- tcham-TCHAM*. Explicação: a obra existia apenas em potencial – sem um corpo, por assim dizer. Ainda não era música. Não se poderia tocá-la. Não se poderia ouvi-la.

Ela precisava de alguém: um ser corpóreo, um humano, um artista (ou, mais exatamente, um *genius*, palavra latina para "alma" ou "espírito animado") que lhe desse forma neste plano material. Assim, a Musa sussurrou ao ouvido de Beethoven. Talvez tenha sussurrado aos ouvidos de muitos outros. Mas ninguém a ouviu. Apenas Beethoven.

Ele levou a inspiração adiante. Tornou a Quinta Sinfonia uma "criação do tempo" que a "eternidade" pudesse "amar".

Assim, essa eternidade (quer a concebamos como Deus, consciência pura, inteligência infinita e espírito onisciente ou seres, deuses, espíritos e avatares) exulta quando, de algum modo, ouve os sons da música terrena.

Em suma, Blake concorda com os gregos. Os deuses existem. Penetram nosso reino material.

Isso nos leva de volta à Musa. A Musa, convém lembrar, é filha de Zeus, o pai dos deuses, e de Mnemósine, a memória. Uma ascendência impressionante. Credenciais que respeito.

Faço como Xenofonte. Antes de me sentar para iniciar o trabalho, reservo um minuto para mostrar respeito por esse Poder invisível que pode me fortalecer ou destruir.

INVOCANDO A MUSA: TERCEIRA PARTE

Os artistas invocam a Musa desde tempos imemoriais. E nisso há grande sabedoria. É um ato mágico nos despirmos de nossa arrogância humana e humildemente pedirmos a ajuda de uma fonte que não podemos ver, ouvir, tocar ou cheirar. Eis o início da *Odisseia* de Homero, na tradução de T. E. Lawrence:

> Ó Divina Poesia, deusa, filha de Zeus, entoa sem cessar para mim a canção do homem fértil em expedientes que, após destruir a mais protegida cidadela da sagrada Troia, errou penosamente pelas terras dos homens, conheceu seus costumes, bons e maus, enquanto seu coração, nessa peregrinação pelo mar, ardia na angústia de redimir-se e levar seus homens em segurança para casa. Esperança vã – para eles, os insensatos! Sua loucura os perdeu. Comeram as vacas do augusto Sol e esse deus os privou do regresso. Ó Musa, torna, em tudo, esse relato vivo para nós!

Essa passagem merece um estudo aprofundado.

Primeiro, *Divina Poesia*. Quando invocamos a Musa, estamos pedindo forças não apenas de um plano diferente da realidade, mas de um plano sagrado.

Deusa, filha de Zeus. Não pedimos somente a intercessão divina, mas também a de um nível superior, localizado no ponto mais elevado possível.

Entoa sem cessar. Homero não pede brilho ou sucesso. Quer apenas continuar compondo.

A *canção*. Isso cobre tudo. Dos *Irmãos Karamazov* até um novo negócio de material hidráulico.

Gosto da alusão às provações de Odisseu, que constituem o ponto central da invocação. Lembra a jornada do herói numa concha, de Joseph Campbell, em termos tão concisos como uma sinopse da história do Homem Comum. Há o crime inicial (que todos, inevitavelmente, cometemos), responsável por tirar o herói da complacência limitadora e lançá-lo a uma vida de peregrinações, à ânsia de redenção, à incansável campanha para regressar à "casa", isto é, à graça de Deus, a si mesmo.

Admiro, sobretudo, a advertência contra o segundo crime, *comeram as vacas do augusto Sol*. Trata-se do delito que destrói a alma: usar o sagrado para fins profanos. Prostituição. Traição.

Por fim, o que o artista deseja para sua obra: Ó *Musa, torna, em tudo, esse relato vivo para nós!*

É o que queremos, não? Que nosso trabalho seja mais que grande, que nosso trabalho viva. E não em apenas um detalhe, mas em todos.

Certo.

Dissemos nossa prece. Estamos prontos para trabalhar. E agora?

A MAGIA DE COMEÇAR

Para todos os atos de iniciativa (e criação), existe uma verdade elementar, cuja ignorância mata ideias incontáveis e planos esplêndidos: quando alguém se decide, a providência ajuda. Acontecem, para ampará-lo, todos os tipos de coisas que, de outro modo, não aconteceriam. Um fluxo caudaloso de acontecimentos brota dessa decisão, provocando em favor da pessoa toda sorte de incidentes, encontros e auxílios materiais invisíveis que nenhum homem imaginaria encontrar em seu caminho. Tenho muito respeito por este pensamento de Goethe: "Qualquer coisa que você possa fazer ou sonhar, você pode começar. A ousadia tem genialidade, poder e magia em si".

– W. H. Murray,
The Scottish Himalayan Expedition

Você já assistiu ao filme *Asas do Desejo*, de Wim Wenders, sobre a presença de anjos entre nós? (*Cidade dos Anjos*, na versão estadunidense, com Meg Ryan e Nicolas Cage.) Acredito nisso. Acredito que os anjos existam. Estão aqui, mas não podemos vê-los.

Os anjos trabalham para Deus. Sua função é nos ajudar, nos despertar, nos estimular.

Eles são agentes da evolução. A Cabala os descreve como feixes de luz, que significam inteligência e consciência. Os cabalistas acreditam que, debruçado sobre cada folha de grama, exista um anjo encorajando: "Cresça, cresça!". Vou mais longe. Acredito que, sobre toda a raça humana, exista um superanjo incitando: "Evolua, evolua!".

Os anjos são como as Musas. Sabem coisas que não sabemos. Querem nos ajudar. Estão do outro lado do painel de vidro gritando para chamar nossa atenção. Mas não podemos ouvi-los porque estamos distraídos demais com nossa própria insensatez.

Ah, mas quando começamos...

Quando damos o primeiro passo...

Quando concebemos um empreendimento e nos entregamos a ele sem dar ouvidos ao medo, uma coisa maravilhosa acontece. Surge uma rachadura na membrana, como a primeira que o pintinho faz para sair da casca. Parteiras angelicais se reúnem à nossa volta e nos assistem enquanto fazemos o parto de nós mesmos, nascendo para o que devemos ser, para o destino codificado em nossa alma, nosso *daimon*, nosso *genius*.

Quando damos um passo, saímos de nosso próprio caminho e permitimos que os anjos venham fazer seu trabalho. Agora podem falar conosco, e isso os deixa felizes. Deixa Deus feliz. A eternidade, como Blake nos diria, abriu um portal no tempo.

E nós somos isso.

A MAGIA DE CONTINUAR AVANÇANDO

Quando termino meu trabalho, vou fazer uma caminhada nas colinas. Levo um gravador portátil, pois sei que, quando minha mente superficial se esvazia por causa do passeio, outra parte toma seu lugar e começa a me dizer coisas.

> "A expressão 'olhar de lado', na página 342... deve ser substituída por 'olhar fixamente'."

> "Você se repetiu no capítulo 21. A última frase já apareceu no meio do capítulo 7."

Coisas assim vão surgindo. Surgem para todos nós, a cada dia, a cada minuto. Os parágrafos que estou escrevendo agora me foram ditados ontem; substituem uma abertura anterior, mais fraca, deste capítulo. Estou desenvolvendo a versão melhorada agora, no gravador.

Esse processo de autorrevisão e autocorreção é tão comum que nem nos damos conta dele. Mas é um milagre. E suas implicações são impressionantes.

Mas quem faz a revisão, afinal? Que força está nos puxando pela manga?

Que coisas uma voz em nossa cabeça nos conta sobre a arquitetura de nossa psique e, sem nenhum esforço ou nenhuma reflexão de nossa parte, começa a nos dar conselhos (e conselhos sábios) sobre como devemos trabalhar e viver? Que *software* entra em ação escaneando *gigabytes* enquanto nosso eu consciente se ocupa de outra coisa?

Serão anjos?

Serão musas?

Ou o Inconsciente?

Ou o Eu?

Seja o que for, ele é mais esperto que nós. Muito mais esperto. Não precisa que lhe digamos o que fazer. Vai trabalhar sozinho. Parece necessitar do trabalho. Parece gostar de trabalhar.

O que ele faz, exatamente?

Organiza.

O princípio da organização está implícito na natureza. O próprio Caos se auto-organiza. Da desordem primordial, as estrelas encontram suas órbitas, e os rios abrem caminho para o mar.

Quando nós, como Deus, nos dispomos a criar um universo – um livro, uma ópera, uma nova empresa –, o mesmo princípio se aplica. Nosso roteiro se acomoda, por si só, em uma estrutura de três atos; nossa sinfonia toma forma em movimentos; nossa empresa de material hidráulico descobre sua cadeia ideal de comando. Como vivenciamos isso? Tendo ideias. Elas brotam em nossa cabeça enquanto estamos nos barbeando, tomando banho ou mesmo, estranhamente, quando estamos realmente trabalhando. Os duendes por trás disso são perspicazes. Se nos esquecemos de alguma coisa, eles nos lembram. Se perdemos o rumo, eles nos trazem de volta.

Que conclusão tirar disso?

Sem dúvida, uma inteligência está em ação, alheia à nossa mente consciente, mas em aliança com ela, processando nosso material para nós e em parceria conosco.

É por isso que os artistas são modestos. Sabem que não são eles que fazem o trabalho. Apenas ouvem ditados. E é por isso também que "pessoas não criativas" odeiam "pessoas criativas". São invejosas. Percebem que artistas e escritores estão ligados a uma rede de energia e inspiração com a qual elas próprias não conseguem se conectar.

Isso é bobagem, claro. Todos somos criativos. Todos temos a mesma psique. Os mesmos milagres diários acontecem em todas as cabeças, todos os dias, minuto a minuto.

LARGO

Na casa dos 20 anos, eu manobrava um trator em uma empresa chamada Burton Lines, de Durham, na Carolina do Norte. Não era muito bom naquilo; os demônios de minha autodestruição estavam comigo. Apenas a sorte cega impediu que eu me matasse ou matasse outros pobres coitados que por acaso estavam na estrada ao mesmo tempo. Foi um período difícil. Eu estava sem dinheiro, afastado da minha esposa e da minha família. Uma noite, tive este sonho:

> Eu fazia parte da tripulação de um porta-aviões. Mas o navio estava em terra firme. Ainda lançava seus jatos e fazia o que um porta-aviões faz, mas a quase dois quilômetros do mar. Os marinheiros percebiam a estranheza da situação, que os aborrecia e inquietava o tempo todo. O único que não se preocupava era um sargento de artilharia do corpo de fuzileiros chamado "Largo". No sonho, parecia o melhor nome que alguém pudesse ter. Largo. Eu gostava do nome. Largo era um desses suboficiais durões, como o personagem de Burt Lancaster em *A Um Passo da Eternidade*. O único sujeito a bordo que sabe exatamente o que está

acontecendo, o veterano que toma todas as decisões e dirige o espetáculo.

Mas onde ele estava? Encostei-me na amurada, abatido, e o capitão apareceu para falar comigo. Ele também estava perdido. Era seu navio, mas ele não sabia como tirá-lo da terra. Eu estava nervoso conversando com o chefão e não sabia o que dizer. Ele não parecia notar meu constrangimento; virou-se para mim e perguntou em tom casual: "Que diabo vamos fazer, Largo?".

Acordei assombrado. Eu era Largo! Era o velho artilheiro endurecido! O poder de assumir o controle estava em minhas mãos; tudo o que eu tinha de fazer era acreditar em mim.

De onde veio esse sonho? Obviamente, sua intenção era benevolente. Mas qual era a fonte? E o que dizia sobre o universo onde tais coisas acontecem?

Todos temos sonhos assim. São muito comuns, como o nascer do sol. Mas isso não os torna menos miraculosos.

Antes de ir para a Carolina do Norte, trabalhei nas plataformas de petróleo de Buras, na Louisiana. Morava num alojamento com vários outros caras que ali estavam também de passagem. Um deles comprou um livro sobre meditação em uma loja de Nova Orleans e estava me ensinando como praticá-la. Após o trabalho, eu tentava descobrir se conseguiria. Uma noite, aconteceu o seguinte:

> Eu estava sentado de pernas cruzadas, quando uma águia veio voando e pousou em meu ombro. Misturou-se comigo e alçou voo, de modo que minha cabeça se fundiu com a dela, e meus braços se tornaram suas asas. Eu me sentia totalmente autêntico. E sentia o ar sob minhas asas tão sólido quanto a água resistindo à impulsão dos remos. O ar tinha substância. Eu podia empurrá-lo. Então é assim que as aves voam! Percebi que era impossível para um pássaro despencar do céu, bastando-lhe estender as asas: o ar sólido o manteria no alto com a mesma força que sentimos quando colocamos a mão fora da janela de um carro em movimento. Estava perplexo com esse fenômeno, que se revolvia em minha cabeça, mas ainda não entendia seu significado. Perguntei à águia: "Olá, o que devo aprender com isso?". Uma voz respondeu (silenciosamente): "Você deve aprender que, certas coisas, que pensa não serem nada e tão imponderáveis quanto o ar, são, na realidade, forças concretas poderosas, reais e sólidas como a terra".

Entendi. A águia me dizia que sonhos, visões e meditações iguais àquela – coisas das quais até então eu desdenhara, considerando-as fantasia e ilusão – eram tão reais e tão sólidos quanto qualquer objeto em minhas horas de vigília.

Acreditei nela. Captei a mensagem. Como poderia ser diferente? Sentia a solidez do ar. Sabia que ela estava dizendo a verdade.

E isso nos traz de volta à pergunta: de onde viera aquela águia? Por que aparecera na hora certa para me dizer justamente o que eu precisava ouvir?

Sem dúvida, alguma inteligência invisível a criara, dando-lhe a forma de ave para eu entender o que queria comunicar. Essa inteligência estava pacientemente me instruindo. Tornando tudo simples, claro e elementar, a ponto de até uma pessoa tão entorpecida e sonolenta quanto eu conseguir entender.

VIDA E MORTE

Você se lembra do filme *Billy Jack*, com Tom Laughlin? Ele e as sequências foram quase esquecidos, mas o mesmo não aconteceu com Tom Laughlin. Além de ator, Tom foi conferencista e escritor, assim como psicólogo da escola de Jung especializado em tratamento de pessoas diagnosticadas com câncer. Dava aula e participava de seminários. Eis uma paráfrase de algo que o ouvi dizer:

No momento em que alguém fica sabendo que tem câncer terminal, uma mudança profunda acontece em sua psique. De repente, no consultório do médico, ele se torna consciente do que realmente lhe importa. Coisas que, um minuto antes, pareciam muito importantes agora perdem o sentido, ao passo que pessoas e preocupações que até então ele ignorava assumem enorme valor.

Talvez, pensa ele, trabalhar este fim de semana naquele grande contrato não seja tão imprescindível assim. Talvez o melhor seja atravessar o país para comparecer à formatura do neto. Talvez pouco importe ter a última palavra na discussão com a esposa. Talvez deva, isso sim, dizer-lhe quanto ela significa para ele e quão profundamente ele sempre a amou.

Outros pensamentos ocorrem ao paciente diagnosticado como terminal. Que foi feito de seu dom para a música? E da paixão que outrora sentia por trabalhar com doentes e sem-teto? Por que essas vidas não vividas voltam agora com tanta força e pujança?

Diante da extinção iminente, pensava Tom Laughlin, todos os pressupostos passam a ser questionados. Que significa minha vida? Terei vivido bem? Deixei coisas importantes por fazer, palavras cruciais por dizer? É tarde demais?

Tom Laughlin desenhou um diagrama da psique, um modelo baseado em Jung, que é mais ou menos assim:

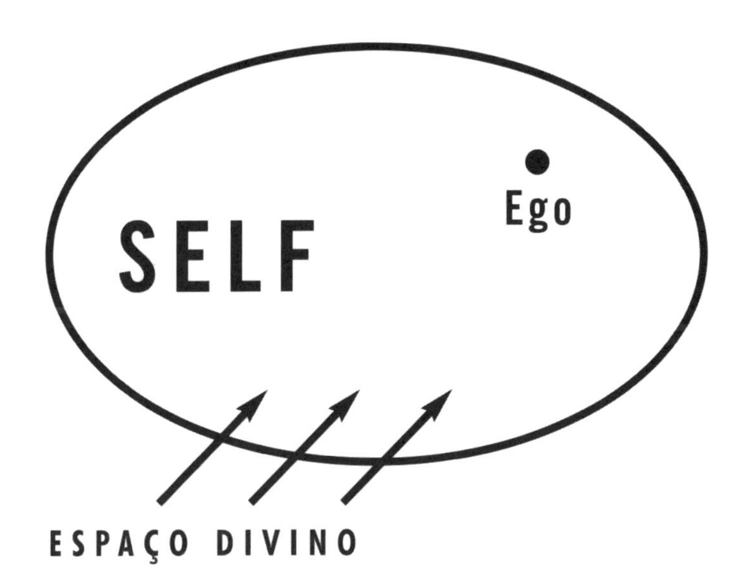

O Ego, diz Jung, é aquela parte da psique que penso como "Eu". Minha inteligência consciente. Nosso cérebro diário que reflete, planeja e dirige o espetáculo do cotidiano.

O *Self*, na definição de Jung, é uma entidade maior, que inclui tanto o Ego quanto o Inconsciente Pessoal e Coletivo. Sonhos e intuições vêm do *Self*. Os arquétipos do inconsciente têm sua sede aí. É, no entender de Jung, o reino da alma.

O que acontece quando somos informados de que logo morreremos? Tom Laughlin respondeu a essa questão: a sede de nossa consciência se transfere.

Do Ego para o *Self*.

Visto do *Self*, o mundo é totalmente novo. De imediato, discernimos o que é, de fato, importante. Preocupações superficiais desaparecem e são substituídas por uma perspectiva mais profunda, mais firmemente enraizada.

É assim que a fundação de Tom Laughlin combate o câncer. A equipe de profissionais aconselha os pacientes não só a operar essa transferência mentalmente, mas também a vivê-la. Estimula a dona de casa a retomar a carreira na assistência social, o empresário a voltar ao violino, o veterano do Vietnã a escrever seu romance.

Como por milagre, o câncer entra em remissão. As pessoas se recuperam. Será possível, perguntava Tom Laughlin, que a própria doença evolua como consequência de ações realizadas (ou não) em nossa vida? Será que nossa vida não vivida se vinga de nós sob a forma de câncer? E, se assim for, podemos nos curar agora vivendo essa vida?

O EGO E O *SELF*

Eis o que penso: os anjos fazem sua morada no *Self*, enquanto a Resistência se abriga no Ego.

A luta é entre os dois.

O *Self* quer criar, evoluir; o Ego, que as coisas fiquem como estão.

Mas, afinal, o que vem a ser o Ego? Como este livro é meu, vou defini-lo do meu jeito.

O Ego é a parte da psique que acredita na existência material.

A função do Ego é cuidar dos assuntos do mundo real. Função importante, pois não duraríamos um dia sem ela. Mas há outros mundos além do real, e é aí que o Ego encontra dificuldades.

Eis no que o Ego acredita:

1) A *morte é real*. O Ego supõe que nossa existência seja definida pelo corpo físico. Quando o corpo morre, morremos. Não há vida após a morte.
2) O *tempo e o espaço são reais*. O Ego é analógico. Acha que, para passar de A para Z, é preciso passar por B, C,

D. Para passar do café da manhã para o jantar, temos de viver o dia inteiro.

3) *Cada indivíduo é único, separado dos outros*. O Ego acha que sou diferente de você. Os pares não se encontram. Posso feri-lo sem me ferir.
4) *O impulso predominante da vida é a autopreservação*. Como nossa existência é física e, portanto, sujeita a incontáveis males, vivemos e agimos com medo. É sensato, crê o Ego, ter filhos que perpetuem nossa linhagem quando morrermos, realizar grandes coisas que permaneçam depois de nós e apertar o cinto de segurança.
5) *Deus não existe*. Não há outro reino exceto o físico, e as únicas regras que se aplicam são as do mundo material.

São com esses princípios que o Ego vive. São princípios rigorosos, sólidos.

Agora, aquilo em que o *Self* acredita:

1) A *morte é ilusória*. A alma sobrevive e evolui por infinitas manifestações.
2) O *tempo e o espaço são ilusórios*. Ambos operam unicamente no reino físico e, mesmo aqui, não se aplicam a sonhos, visões, transportes. Em outras dimensões, nós

nos movemos "rápido como o pensamento" e habitamos vários planos ao mesmo tempo.

3) *Todos os seres são um*. Se eu o ferir, vou me ferir também.
4) A *emoção suprema é o amor*. União e assistência mútua são os imperativos da vida. Estamos nisso juntos.
5) *Deus é tudo que existe*. Tudo que há é Deus em uma forma ou outra. Deus, o espaço divino, é aquilo onde vivemos, nos movemos e existimos. Há planos infinitos de realidade, todos criados, sustentados e infundidos pelo espírito de Deus.

VIVENCIANDO O *SELF*

Você já parou para pensar por que usamos tantos termos voltados para a destruição quando estamos intoxicados, doentes ou infelizes? Isso acontece porque se referem ao Ego. É o Ego que pode ser golpeado, atingido, derrubado. Demolimos o Ego, a fim de irmos para o *Self*.

As margens do *Self* fazem fronteira com o Espaço Divino – isto é, o Mistério, o Vazio, a fonte da Sabedoria e da Consciência.

Os sonhos brotam do *Self*, assim como as ideias. Quando meditamos, entramos em contato com o *Self*. Quando jejuamos, oramos ou desejamos ter visões, é o *Self* que procuramos. Quando os dervixes giram, quando os yogues cantam, quando o *sadhu* mutila sua carne; quando os penitentes se arrastam de joelhos por quilômetros, quando os nativos americanos se ferem durante a Dança do Sol; quando o rapazola suburbano toma Ecstasy e dança a noite inteira numa balada, estão em busca do *Self*. Quando, deliberadamente, alteramos nossa consciência por qualquer meio, estamos tentando encontrar o *Self*. Quando o alcoólatra cai na sarjeta, a voz que lhe sussurra "Vou salvá-lo" vem do *Self*.

O *Self* é nosso ser mais profundo.

O *Self* está unido a Deus.

O *Self* é incapaz de falsidade.

O *Self*, como o Espaço Divino que o permeia, está sempre crescendo, sempre evoluindo.

O *Self* mira o futuro.

Por isso, o Ego o odeia.

O Ego odeia o *Self* porque, quando instalamos nossa consciência no *Self*, colocamos o Ego de lado.

O Ego não quer que evoluamos. Está no comando agora e insiste em que tudo permaneça do mesmo jeito.

O instinto que nos impele para a arte é o impulso para evoluir, aprender, ascender e aprimorar a consciência. O Ego odeia isso porque, quanto mais despertos ficamos, menos precisamos dele.

O Ego fica furioso quando o escritor se senta e começa a digitar.

O Ego fica furioso quando o pintor se posta diante do cavalete.

O Ego não gosta disso por saber que essas almas estão dando ouvidos a um chamado, um chamado oriundo de um plano mais nobre que o material, de uma fonte mais profunda e poderosa que a física.

O Ego detesta o profeta e o visionário porque eles empurram a raça para cima. O Ego detesta Sócrates, Jesus, Lutero, Galileu, Lincoln, John Kennedy e Martin Luther King.

O Ego detesta os artistas porque eles são os guias e os sustentáculos do futuro, porque se dedicam, na frase de James Joyce, a "moldar na forja de minha alma a consciência incriada de minha raça".

Essa evolução é ameaçadora para o Ego, que reage à altura, mobilizando sua esperteza e suas tropas.

O Ego produz Resistência e ataca o artista que está despertando.

MEDO

A Resistência nutre-se do medo. Nós a vemos como medo. Mas medo de quê?

Medo das consequências de ouvir nosso coração. Medo da falência, da pobreza, da insolvência. Medo de não ir longe quando tentamos fazer as coisas à nossa maneira e de ter que recuar, rastejando, ao ponto de partida. Medo de ser egoístas, medo de ser má esposa ou marido desleal; medo de não conseguir sustentar a família ou de sacrificar os sonhos dela pelo nosso. Medo de trair nossa raça, nossa estirpe, nossos amigos. Medo do fracasso. Medo do ridículo. Medo de jogar fora a educação, o treinamento, a preparação pela qual nossos entes queridos tanto se sacrificaram e que nós próprios tanto ralamos para conseguir. Medo de mergulhar no vazio, de ir longe demais. Medo de passar do ponto depois do qual não há volta, depois do qual não podemos nos arrepender, recuar, desistir, tendo de viver com essa má escolha pelo resto da vida. Medo da loucura, da insanidade. Medo da morte.

Esses medos são sérios. Mas não são o medo real. Não são o Medo Maior, a Mãe de Todos os Medos, tão próxima de nós que, mesmo quando a verbalizamos, não lhe damos crédito.

Medo de ter sucesso.

Medo de ter acesso a poderes que, secretamente, sabemos possuir.

Medo de nos tornarmos a pessoa que, no fundo do coração, sentimos ser.

Essa é a perspectiva mais aterradora com que o homem pode se defrontar, pois o distancia (ele pensa) de todas as situações tribais em que sua psique está incluída, como sempre estivera nos últimos cinco milhões de anos.

Temos medo de descobrir que somos mais do que pensamos ser. Mais do que nossos parentes, filhos ou professores supõem que sejamos. Temos medo de realmente possuir o talento que nossa voz baixinha e suave nos diz que possuímos. Temos medo de reconhecer que, sem dúvida, não nos faltam a força, a perseverança, a capacidade. Nosso receio é sermos capazes de conduzir nosso navio, fincar nossa bandeira, alcançar a Terra Prometida. Tememos todas essas coisas porque, se forem concretizadas, ficaremos isolados daquilo que conhecemos. Atravessaremos uma membrana. Seremos monstros e monstruosos.

Sabemos que, se dermos ouvidos às nossas ideias, talvez nos mostremos dignos delas. E isso nos assusta tremendamente. O que será de nós? Perderemos amigos e família, que não mais nos reconhecerão. Ficaremos sozinhos no vazio gelado do firmamento, sem nada nem ninguém a que nos apegarmos.

Isso é, evidentemente, o que acontece. Mas eis o segredo: vamos para o espaço, mas não sozinhos. Ao contrário, vamos banhados por uma fonte copiosa, inesgotável, inexaurível de sabedoria, consciência e companheirismo. Sim, perderemos amigos. Mas também os encontraremos em lugares aonde nunca pensamos ir. E esses serão amigos mais verdadeiros, mais bondosos conosco. E nós seremos mais bondosos, mais verdadeiros com eles.

Você acredita em mim?

O VERDADEIRO *SELF*

Você tem filhos?

Então sabe que nenhum deles veio ao mundo como *tabula rasa*, como uma folha em branco. Cada qual nasceu com personalidade única, distinta, uma identidade tão sólida que nada poderá modificar. Cada criança é o que é. Mesmo gêmeos idênticos, feitos do mesmo material genético, são radicalmente diferentes desde o primeiro minuto e sempre serão.

Pessoalmente, estou com Wordsworth:

> Nosso nascimento é apenas sono e esquecimento.
>
> A alma que nasce conosco, estrela da nossa vida,
>
> Foi gerada em outro lugar que não aqui,
>
> E vem de longe:
>
> Não nascemos em completo esquecimento,
>
> E nem em total nudez.
>
> E sim arrastando atrás de nós nuvens de glória
>
> Provindas de Deus, que é nosso lar.

Em suma, nenhum de nós nasce como massa genérica passiva, esperando que o mundo a modele. Ao contrário, quando surgimos, já somos possuidores de uma alma altamente refinada e individualizada.

Eis outra maneira de refletir sobre isso: não nascemos com escolhas ilimitadas.

Não podemos ser tudo o que queremos.

Viemos a este mundo com um destino específico, pessoal. Temos uma tarefa a cumprir, uma vocação a seguir, um eu a vir a ser. Somos o que somos desde o berço e não podemos fugir disso.

Nossa missão nesta vida não é nos transformarmos num ideal imaginário, mas descobrir quem já somos e tornarmo-nos o que temos de ser.

Se você nasceu para pintar, sua missão é se tornar pintor.

Se você nasceu para gerar e criar filhos, sua missão é tornar-se mãe.

Se você nasceu para combater a ignorância e a injustiça do mundo, sua missão é pôr mãos à obra e realizá-la.

TERRITÓRIO *VERSUS* HIERARQUIA

No reino animal, os indivíduos se definem de duas maneiras: pela posição na hierarquia (uma galinha no galinheiro, um lobo na alcateia) ou pela ligação com um território (uma base, um território de caça, um gramado).

É assim que os indivíduos – homens e animais – adquirem segurança psicológica. Sabem onde estão. O mundo faz sentido.

Das duas orientações, a hierárquica parece defeituosa. É a que vivenciamos automaticamente quando crianças. Juntamo-nos, de modo natural, em bandos, em grupos; sem pensar no caso, sabemos quem está por cima e quem está por baixo. E conhecemos nosso lugar. Definimo-nos, ao que parece instintivamente, por nossa posição no pátio da escola, na rua, no clube.

Só mais tarde na vida, em geral após severa educação na universidade e muitos tombos, começamos a explorar a alternativa territorial.

Alguns conseguem salvar a própria vida assim.

A ORIENTAÇÃO HIERÁRQUICA

Muitas pessoas se definem hierarquicamente sem sequer saber o que estão fazendo. É difícil fugir disso. A escola, a publicidade, todas as características materialistas de nossa cultura nos impelem a nos definirmos conforme a opinião dos outros. Beba esta cerveja, aceite este emprego, veja desta maneira – e todos vão gostar de você.

Mas o que é, de fato, hierarquia?

Hollywood é uma hierarquia. Como Washington, Wall Street e as Filhas da Revolução Americana.

O colégio é a hierarquia por excelência. E funciona; num ambiente tão restrito, a orientação hierárquica tem êxito. A líder de torcida conhece seu lugar; o *nerd* do Clube de Xadrez, também. Cada qual encontrou seu nicho. O sistema funciona.

Mas há um problema na orientação hierárquica. Quando os números ficam grandes demais, a coisa toda vem abaixo. O galinheiro só pode conter determinada quantidade de galinhas. "No interior, você consegue encontrar seu lugar. Vá para o centro da cidade, e a coisa mudará. Já a capital do estado é grande demais para admitir hierarquia. Como o Google. Como o estado mais populoso do país. O indivíduo, em meio a uma multidão como essas, sente-se esmagado, anônimo. Desaparece no meio do povo. Fica perdido.

Ao que parece, nós, seres humanos, fomos condicionados pela evolução para funcionar mais confortavelmente numa tribo de, digamos, vinte a oitocentos indivíduos. Talvez possamos chegar a alguns milhares ou até a cinco algarismos. Mas, a certa altura, vem a saturação. Nosso cérebro não consegue registrar tantos rostos. Saímos por aí exibindo nosso *status* (Olhe o meu carrão novo!), mas ninguém dá a mínima.

Entramos na sociedade de massa. A hierarquia é muito grande. Não funciona mais.

O ARTISTA E A HIERARQUIA

Para o artista, definir-se hierarquicamente é fatal.

Vejamos por quê. Examinemos o que acontece em uma orientação hierárquica.

O indivíduo que se define por seu lugar em determinada ordem faz o seguinte:

1) Compete com todos os outros na ordem, tentando se elevar à custa de quem está acima dele e defendendo-se de quem está abaixo.
2) Mede sua felicidade, seu sucesso e sua realização pelo lugar que ocupa na hierarquia, sentindo-se ótimo quando está por cima e péssimo quando está por baixo.
3) Trata seus semelhantes pelo lugar que ocupam na hierarquia, sem levar em conta outros fatores.
4) Tudo que faz tem em vista o efeito que produzirá nos outros. Age para eles, veste-se para eles, fala para eles, pensa para eles.

O artista, entretanto, não pode avaliar seus esforços e sua vocação pensando nos outros. Se você não acredita em mim, pergunte a Van Gogh, que produziu obra-prima atrás de obra-prima e nunca encontrou um comprador na vida.

O artista tem de operar territorialmente e fazer o trabalho pelo trabalho.

O esforço nas artes, por qualquer outro motivo que não o amor, é prostituição. Lembre-se do destino dos companheiros de Odisseu, que mataram as vacas do Sol:

> Sua própria insensatez os desgraçou. Destruir, pela carne, o gado do mais exaltado Sol, razão pela qual o deus-Sol escureceu o dia de sua volta.

Na hierarquia, o artista olha para fora. Ao conhecer uma pessoa nova, pergunta a si mesmo: "O que ela pode fazer por mim? Em que vai me aperfeiçoar?".

Na hierarquia, o artista olha para cima e para baixo. Só não olha para onde deveria olhar: para dentro.

A DEFINIÇÃO DE *HACK*

Aprendi de Robert McKee o que vem a seguir. *Hack*, diz ele, é um escritor que desvenda seu público. Quando começa a trabalhar, não se pergunta o que lhe vai no coração, mas o que o mercado está procurando.

O *hack* é condescendente com seu público. Acha-se superior a quem o lê. Mas a realidade é que tem muito medo dos leitores, ou melhor, tem muito medo de se mostrar autêntico aos olhos deles, de escrever o que realmente sente, aquilo em que de fato acredita, aquilo que ele próprio acha interessante. Receia que seus livros não vendam. Assim, procura antecipar o que o mercado (a palavra já diz tudo) deseja e obedece-lhe.

Em suma, o *hack* escreve hierarquicamente. Escreve o que, a seu ver, vai agradar. Não se pergunta: "O que eu mesmo quero escrever? O que acho ser importante?". Não. Ele se pergunta: "O que as pessoas querem, como posso satisfazê-las?".

O *hack* lembra o político que examina as pesquisas antes de assumir uma posição. É demagogo. Puxa-saco.

Ser *hack* pode dar lucro aos espertos. Considerando a situação da cultura estadunidense, você talvez ganhasse milhões agindo assim. Mas, ainda que tivesse êxito, acabaria perdendo, pois venderia sua Musa, e sua Musa é você, sua melhor parte, aquela de onde flui seu trabalho mais refinado e o único verdadeiro.

Eu estava na pior como autor de roteiros quando surgiu a ideia de escrever *The Legend of Bagger Vance.** Mas me ocorreu como livro, não como filme. Procurei meu agente e lhe dei a má notícia. Nós dois sabíamos que um primeiro romance exige tempo e paga pouco. Pior ainda, um romance sobre golfe, mesmo que encontre editor, é uma tacada longe do último buraco.

Mas a Musa me possuía. Eu precisava seguir em frente. Para meu espanto, o romance foi um sucesso de crítica e vendas, superando em muito tudo o que eu já havia escrito, e os seguintes tiveram a mesma sorte. Por quê? Talvez pelo seguinte: eu acreditava no que queria, não no que, a meu ver, iria funcionar. Fiz o que pensava ser interessante e deixei a acolhida a cargo dos deuses.

O artista não pode fazer seu trabalho hierarquicamente. Tem de fazê-lo territorialmente.

A ORIENTAÇÃO TERRITORIAL

Um coiote de três pernas mora na colina perto de minha casa. Todas as latas de lixo da vizinhança lhe pertencem. É seu território. De vez em quando, um intruso de quatro patas tenta roubá-lo. Não consegue. No próprio território, mesmo um bicho perneta é invencível.

Nós, seres humanos, também temos territórios. Os nossos são psicológicos. O de Steve Wonder é o piano. O de Arnold Schwarzenegger é a academia. Quando Bill Gates entra no estacionamento da Microsoft, está no dele. Quando me sento para escrever, estou no meu.

Quais são as características de um território?

1) *Um território fornece sustento*. Os corredores sabem o que é território. Os alpinistas, os remadores e os yogues, também. Os artistas e os empresários, *idem*. O nadador que se seca após dar suas braçadas se sente muito melhor que o sujeito cansado que pulou na piscina trinta minutos antes.
2) *O território nos sustenta sem ajuda externa*. Território é um circuito fechado. Nosso papel é contribuir com es-

forço e amor; ele absorve e nos devolve isso em forma de bem-estar.

3) Quando alguém diz que o exercício (ou qualquer outra atividade que exige esforço) combate a depressão, é isso que quer dizer.
4) *O território é exclusivo*. Você pode ter um parceiro ou trabalhar com um amigo, mas só precisa de si mesmo para usufruir de seu território.
5) *O território só pode ser requisitado pelo trabalho*. Quando Arnold Schwarzenegger chega à academia, está no próprio território. Mas este só lhe pertence por causa das horas e dos anos de suor que deixou ali. O território não dá, devolve.
6) *O território dá exatamente o que recebe*. Os territórios são justos. Cada porção de energia que você deposita cai infalivelmente em sua conta. Um território jamais se desvaloriza. Nunca vai à falência. Você recebe de volta tudo o que deposita, centavo por centavo.

Qual é o seu território?

O ARTISTA E O TERRITÓRIO

O ato de criar é, por definição, territorial. Do mesmo modo como a futura mãe traz o filho no ventre, assim o artista ou inovador contém sua vida nova. Ninguém pode ajudá-los a dar à luz. E eles não precisam de ajuda.

A mãe e o artista são protegidos pelo céu. A sabedoria da Natureza conhece a hora do parto. Percebe, por uma fração de segundo, quando as primeiras pontas de dedos começam a aparecer.

Quando o artista age hierarquicamente, põe a Musa em curto-circuito. Insulta-a e descarta-a.

O artista e a mãe são veículos, não criadores. Não criam a nova vida, apenas a guardam dentro de si. Por isso, o nascimento é uma experiência fantástica. A nova mãe chora ao ver o pequeno milagre nos braços. Sabe que saiu dela, mas não veio dela; veio por meio dela, mas não a partir dela.

Quando o artista trabalha territorialmente, reverencia o céu. Alinha-se com as misteriosas forças que animam o Universo e que procuram, por meio dele, trazer à luz uma vida nova. Trabalhando para si, ele se põe a serviço delas.

Lembre-se: como artistas, não sabemos nada. Improvisamos. Tentar adivinhar a Musa do jeito que o *hack* desvenda seu público é ofender o céu. É blasfêmia e sacrilégio.

Em vez disso, perguntemos como a nova mãe: "O que está crescendo dentro de mim? Que eu o dê à luz por ele, não pelo que ele possa fazer por mim nem pelo que vá melhorar em minha vida".

A DIFERENÇA ENTRE TERRITÓRIO E HIERARQUIA

Como saber se nossa orientação é territorial ou hierárquica? Uma das maneiras é perguntar a nós mesmos: "Se eu me sentisse realmente ansioso, o que faria?". Se pegarmos o telefone e ligarmos para seis amigos, um atrás do outro, com o objetivo de ouvir a voz deles e confirmar se ainda nos amam, estaremos operando hierarquicamente.

Estaremos buscando a opinião favorável dos outros.

O que Arnold Schwarzenegger faria num dia ruim? Não ligaria para os amigos: iria para a academia, ainda que o local estivesse vazio e ele não trocasse uma palavra com ninguém. Arnold sabe que trabalhar sozinho já basta para reequilibrá-lo.

A orientação dele é territorial.

Outro teste. Quando estiver desempenhando qualquer atividade, pergunte-se: "Se eu fosse a última pessoa na Terra, ainda estaria fazendo isso?".

Se você estivesse sozinho no mundo, a orientação hierárquica não faria sentido. Não haveria a quem impressionar. Portanto, se continuar desempenhando aquela atividade, parabéns: está agindo territorialmente.

Se Arnold Schwarzenegger fosse o último homem na Terra, não deixaria de frequentar a academia. Steve Wonder ainda tocaria piano. Seu sustento vem do próprio ato, não da impressão que este possa causar nos outros. Tenho uma amiga louca por roupas. Se fosse a última mulher na Terra, correria para as lojas Givenchy ou St. Laurent, forçaria a entrada e começaria a pilhar. E não seria para impressionar ninguém. Ela apenas gosta de roupas. Esse é o seu território.

E quanto a nós, artistas?

Como fazemos nosso trabalho? Hierárquica ou territorialmente?

Seria a primeira coisa que faríamos caso tivéssemos um acesso de entusiasmo?

Se fôssemos a última pessoa na Terra, ainda iríamos ao estúdio, à sala de ensaio, ao laboratório?

A VIRTUDE SUPREMA

Certa vez, alguém pediu ao rei espartano Leônidas que identificasse a virtude suprema do guerreiro, da qual proviriam todas as outras. Ele respondeu: "Desprezo pela morte".

No caso dos artistas, leia-se "fracasso". O desprezo pelo fracasso é nossa maior virtude. Atentando apenas, territorialmente, para nossos próprios pensamentos e ações – em outras palavras, para o trabalho e suas exigências –, tornamos indefeso o inimigo pintado de azul, com sua lança e sua espada.

OS FRUTOS DE NOSSO TRABALHO

Quando Krishna disse a Arjuna que temos direito ao nosso trabalho, mas não a seus frutos, estava aconselhando o guerreiro a agir territorialmente, não hierarquicamente. Devemos fazer o trabalho pelo trabalho, não pela riqueza, pela atenção ou pelo aplauso.

E há o terceiro caminho, ensinado pelo Senhor da Disciplina, que vai além tanto da hierarquia quanto do território: fazer o trabalho e dá-lo a Ele. Como oferta a Deus.

Dê o ato a mim,

Livre de esperança e ego.

Concentre a atenção na alma.

Faça e aja para mim.

De qualquer maneira, como o trabalho vem do céu, por que não o devolver ao céu?

Trabalhar assim, diz o Bhagavad-Gita, é uma forma de meditação e um tipo supremo de devoção espiritual. Além disso, a meu ver, coaduna-se melhor com a Realidade Superior. De fato, somos servos do Mistério. Fomos colocados aqui na Terra para operar como agentes do Infinito, trazer à existência o que ainda não existe, mas que, por nosso intermédio, existirá.

A respiração, os batimentos cardíacos, a evolução das células vêm de Deus e por Ele são sustentados a cada segundo, assim como a criação, a invenção, as frases da música e os versos da poesia, o pensamento, a visão, a fantasia, o fracasso e o golpe de gênio vêm da inteligência infinita que nos criou e criou o Universo em todas as suas dimensões, a partir do Nada, do campo do infinito potencial, do caos primordial e da Musa. Aceitar esse fato, eliminar o egoísmo, deixar que o trabalho surja por nosso intermédio e devolvê-lo espontaneamente à sua fonte, isso, em minha opinião, é a verdadeira realidade.

RETRATO DO ARTISTA

Chegamos, por fim, ao modelo do mundo do artista, que pressupõe a existência de outros planos da realidade, planos superiores para os quais não há provas, mas dos quais se originaram nossa vida, nosso trabalho, nossa arte. Essas esferas procuram se comunicar com a nossa. Quando William Blake diz que a Eternidade ama as criações do tempo, está se referindo aos planos de puro potencial destituídos de tempo e espaço, mas que desejam concretizar suas visões aqui, neste mundo preso ao espaço e ao tempo.

O artista é o servo dessa intenção, desses anjos, dessa Musa. O inimigo do artista é o Ego minúsculo, que engendra a Resistência e vigia o tesouro como um dragão. Por isso, o artista deve ser guerreiro; e, como todos os guerreiros, adquirir, com o tempo, modéstia e humildade. Alguns artistas se comportam de maneira espalhafatosa em público, mas, sozinhos no trabalho, são castos e tímidos. Sabem que não são a fonte das criações que trazem à luz. Apenas facilitam seu nascimento. Transportam-nas. São os instrumentos habilidosos e dedicados dos deuses e das deusas a quem servem.

A VIDA DO ARTISTA

Você nasceu escritor? Foi posto na Terra para ser pintor, cientista, apóstolo da paz? No fim, a pergunta só pode ser respondida pela ação.

Fazer ou não fazer.

Talvez seja útil raciocinar dessa maneira: se nasceu para curar o câncer, compor uma sinfonia ou fundir metais, mas não faz isso, você não apenas se machuca, você se destrói. Prejudica seus filhos, me prejudica, prejudica o planeta.

Envergonha os anjos que o protegem e irrita o Todo-Poderoso, que o criou com dons especiais para a finalidade única de fazer a humanidade se adiantar um milímetro no caminho de volta a Ele.

O trabalho criativo não é um ato egoísta nem uma tentativa de chamar a atenção. É um dom ao mundo e a todos os seres que nele habitam. Não nos prive de sua contribuição. Dê-nos o que recebeu.

AGRADECIMENTOS

Pela generosa permissão para citar suas obras, o autor agradece às seguintes fontes:

BOOGIE CHILLEN
Escrito por: John Lee Hooker/Bernard Besman
© 1998 Careers-BMG Music Publishing, Inc. (BMI)
Todos os direitos reservados. Usado com permissão.

WORKING CLASS HERO
Copyright 1970 (Renovado) Yoko Ono, Sean Lennon e Julian Lennon.
Todos os direitos são administrados pela Sony/ATV Music Publishing, 8 Music Square West, Nashville, TN 37203. Todos os direitos reservados. Usado com permissão.

Reimpresso com permissão de Lawrence Kasdan de THE BIG CHILL © 1983.
Todos os direitos reservados.

THE SEARCHERS
Escrito por: Frank S. Nugent © 1956

Reproduzido com permissão dos editores e dos curadores de Loeb Classical Library de XENOFON: VOLUME VII – SCRIPTA MINORA, Loeb Classical Library Vol. 183, traduzido por E. C. Marchant, Cambridge, Mass.: Harvard University Press, 1925, 1968. The Loeb Classical Library® é marca registrada do President and Fellows of Harvard College.